COLLECTION

Punch

DANS LA MÊME COLLECTION

GARDNER Erle Stanley	**LE BAIN DE BARBELÉS**
MOURIC René	**PAGAILLE NOIRE**
BASTIANI Ange	**RATAFIA DE ROSES**
BLANKENSHIP William	**LE FICHIER HELIX**
COUSIN Michel	**LA FOLLE DU LOGIS**
CUNNINGHAM E.V.	**LA POUDRE AUX YEUX**
LEROY A	**LE PROTECTEUR**
COUSIN Michel	**AUTO-SUGGESTION**
LAUVER	**DEUIL DANS LA FAMILLE**
MacGIVERN	**SANG POUR SANG**
SHELLY Smith	**CORPS DIPLOMATIQUE**
DOROTHY Gilman	**Mrs POLLIFAX FAIT UN MALHEUR**

GEORGE BEARE

STATUES-QUO

PRESSES DE LA CITÉ
PARIS

Le titre original de cet ouvrage est :
CHAIN OF INFAMY

traduit de l'anglais par René Demars

CHAPITRE PREMIER

Nous exploitions un champ pétrolifère au nord de Fyzabad, un patelin tout au bout de l'île de Trinidad. Un derrick de cinquante mètres de hauteur grondait et tonnait vingt-quatre heures sur vingt-quatre et sept jours par semaine, au milieu de palmiers, de mangliers et de la jungle. Nous avions pour camp une triste petite agglomération de baraques préfabriquées en aluminium, située à quelques kilomètres de là, à cause du bruit et des dangers d'explosion... mais on y entendait quand même le derrick.

La main-d'œuvre, qui venait de Fyzabad dans un bus de la compagnie, appelait le derrick « le monstre ». Quand je n'étais pas de service, je m'étendais sur ma couchette, à l'abri d'une moustiquaire, et je sentais le monstre qui secouait la terre. Eveillé ou endormi, je l'entendais à chaque minute, au point que tout changement dans la vitesse des diesels, la moindre variation du sempiternel grondement, une différence du rythme dans le tremblement du cadre de mon lit, du sol recouvert de caillebotis et des parois suintantes me tiraient du plus profond sommeil...

Huit semaines de ce régime! Et il me fallait en tirer quatre encore avant d'avoir un mois de congé. Un beau soir, je m'offris à aller à Port of Spain chercher pour le derrick des pièces détachées, qui devaient être arrivées par avion l'après-midi. Cela m'éloignerait du monstre et, le lendemain étant mon jour de congé, je pourrais bourlinguer un peu et prendre tout mon temps pour revenir. Cent quatre-vingts kilomètres aller et retour en jeep, ce n'est pas une partie de plaisir. Aussi Frank Farrell, le chef des travaux et grand patron de notre équipe, ne fit-il aucune objection quand je me portai volontaire.

Une demi-heure après avoir quitté le camp, je tanguais entre les collines. Le soleil couchant avait déjà disparu de mon ciel, mais rougissait encore l'extrémité de la vallée boisée, au-dessous de moi, sur ma droite. Je chantais « It's a long way to Tipperary », effrayant les singes au cul rouge et les quelques aras qui criaient au sommet des grands arbres, lorsque je rencontrai une lady en détresse.

Elle portait une chemise de soie marron et des slacks en toile blanche et se tenait dans les fougères, sur le bas-côté de la route, me faisant signe de m'arrêter. Je freinai et elle courut à moi, les seins rebondissant fermement sous la chemise. Elle avait de longs cheveux auburn, parsemés de mèches d'or qu'on eût dit des rayons de soleil tombés de l'astre du jour. Elle me demanda :

— Etes-vous anglais?

— Non, mais je le parle.

Ses lèvres rouges dessinèrent un sourire, elle enleva ses verres fumés et secoua la tête comme un pur-sang auquel on retire son licol.

— Nous sommes en panne. Pourriez-vous nous remorquer ou nous aider d'une autre façon?

— En panne où?

— Là, derrière, dans le fourré.

Elle se détourna, marcha sur le côté de la route et je fis redémarrer la jeep au ralenti, pour rester à hauteur de la jeune femme.

— C'est ici! déclara-t-elle.

En contrebas, à une sacrée distance de la route, parmi les fougères, les lianes et les plantes grasses géantes, je discernai une lueur métallique. J'arrêtai la jeep et descendis. La voiture était une Lincoln Continental.

— Pas possible, c'est une blague! dis-je.

Elle me regarda, un peu étonnée.

— Non, la voiture est vraiment en panne. L'arrière est embourbé.

— Qu'aviez-vous donc en tête? Où pensiez-vous aller?

Elle haussa les épaules et sourit.

— Nous voulions simplement pique-niquer loin de la route.

Je supposai que par « nous », elle voulait dire elle et une autre femme que je voyais assise sur le siège avant de la Lincoln.

Je fis un effort pour ne pas me livrer à des commentaires sur la santé mentale de cette rouquine et regardai à l'arrière de la jeep ce qui pourrait être utile. Au milieu d'un matériel aussi abondant qu'hétéroclite — il y avait même un casque de travail et une paire de bottes — se trouvait une chaîne qui ferait l'affaire. Pendant que je la dégageais, la fille se pencha et prit mon casque sur le devant duquel mon nom était peint.

— C'est à vous?

— Oui.

— J.D. Dockery. J.D. ça veut dire quoi?

— J pour Jim, répondis-je en mesurant de l'œil la distance de la Lincoln et la longueur de la chaîne.

Elle était beaucoup trop courte.

— Et le D?

— L'initiale de mon deuxième prénom, dis-je en regardant la jungle qui s'obscurcissait.

« Il va falloir que je recule jusque là-bas. Et si la jeep claque nous serons bien lotis! Il ne passera probablement pas un autre véhicule sur cette route d'ici une semaine.

— Je suis désolée, Jim Dockery... affirma-t-elle en se débrouillant pour prendre tout à la fois un air coquet et coupable.

En quatre coups de volant je fis quitter la route à la jeep et partis à reculons à travers les fougères. Je sentais les roues s'enfoncer dans le sol mousseux, mais elles accrochaient. Je reculai ainsi jusqu'à quelques mètres de la Lincoln et stoppai le moteur. La femme assise sur le siège avait des cheveux blonds coupés court et portait d'épais verres noirs. Ce n'étaient pas des lunettes de soleil : elle était aveugle. La rouquine était penchée à la portière et lui parlait. Je plongeai dans les broussailles, sous l'avant de la Lincoln, m'attendant à chaque instant à sentir la double morsure d'un serpent corail, et j'accrochai la chaîne à l'un des bras de suspension. Le serpent ne me mordit pas, mais j'aurais fichu mon billet qu'il n'était pas loin.

— Vous voulez que je mette en marche? interrogea la fille.

— Non. Passez simplement au point mort et desserrez le frein à main.

Elle s'installa au volant. J'amarrai la Lincoln à la barre de remorquage de la jeep et mis le contact. Puis je débrayai, passai en première et embrayai avec une lenteur extrême. Il y eut un grincement métallique sinistre. Si j'insistais on allait voir ce qu'on allait voir! Je repassai au point mort, sautai sur le sol, m'approchai de la Lincoln et me penchai vers la rouquine à son volant.

— Mettez en marche, mais dès que vous sentirez que vous vous ébranlez, retirez votre pied de la pédale, sinon l'arrière de la jeep de ma compagnie sera chargée d'une Lincoln Continental.

— Bien, mon adjudant! jeta-t-elle.

En m'égratignant aux broussailles, je retournai à la jeep et recommençai la manœuvre. Cette fois-ci la Lincoln suivit, bondissant, cahotant, s'arrêtant net en bout de chaîne puis défonçant presque l'arrière de ma jeep. Cette stupide garce brusquait son accélérateur. On n'aurait jamais dû permettre l'alliance contre nature des femmes et des autos.

Pour finir, nous nous retrouvâmes sur la route.

Je larguais la chaîne quand la fille me rejoignit.

— Allez-vous à Port of Spain?

— Oui. Tout au moins je l'avais espéré.

Elle me sourit de nouveau.

— Nous logeons au *Barcelona*. Voulez-vous nous y rejoindre pour boire le verre de la gratitude?

C'était là un sentiment chrétien.

— Très volontiers.

— Bon, alors à tout à l'heure...

Puis elle remonta derrière le volant de la Lincoln.

Je fis quelques pas et dis à travers la portière.

— Qui devrai-je demander?

— Oh! Excusez-moi... Je suis Rhona Beckwith et mon amie s'appelle Helga von Thallin.

— Très heureux... dis-je à la femme aveugle.

Telle une reine, elle me fit un gracieux signe de tête.

— Bonjour, Mr Dockery.

Sa voix était profonde, chaude, un peu voilée, et avait un accent germanique. Elle portait au poignet gauche un bracelet de platine qui lui aurait permis d'être majoritaire d'I.B.M.

— Nous nous retrouverons au bar du *Barcelona,* me dit Rhona Beckwith.

— Certainement, affirmai-je en reculant tandis qu'elle démarrait...

Au diable à présent l'aérodrome et les pièces détachées. La chance de rencontrer une fille comme cette Rhona sur la route accidentée de Fyzabad n'est pas d'une très grande probabilité — elle doit bien se produire une fois tous les sept millions d'années — pas question de louper l'occasion pour une brassée de ferraille.

A Port of Spain, le *Barcelona* donne sur le boulevard qui entoure Queen's Park Savannah, une grande voie blanche dont toute la partie ouest est plantée de palmiers au centre et bordée d'un côté de somptueuses villas, de résidences officielles. Une jeep dans la cour d'honneur du *Barcelona,* c'est un peu comme une affiche publicitaire pour soutien-gorge au milieu d'une exposition de maîtres anciens. Mais qui s'en préoccupe? Je garai donc ma jeep entre une grande Mercedes et une Rolls blanche et pénétrai dans le domaine à air conditionné des riches.

En me voyant approcher d'elle, Rhona ne quitta pas son tabouret de bar; elle se contenta de me sourire, comme elle semblait sourire toujours, en gardant pour elle un secret.

— Que voulez-vous boire? me demanda-t-elle.

Je commandai un scotch. Elle sirotait déjà un dry Martini.

— Où est... euh... votre compagne?

— Helga? Elle est montée. Pourquoi? Voulez-vous que j'aille la chercher?

— Non, vraiment pas... Savez-vous que vous êtes une fille follement étourdie?

— Je le sais.

— C'est par pur hasard que je suis passé sur la route cet après-midi. Et si ce n'avait pas été le cas, Dieu sait dans quel état on vous y aurait retrouvées un jour ou l'autre.

— J'accepte la remontrance.

— Pourquoi avez-vous fait cela?

Elle haussa les épaules.

— Sur le moment, l'idée paraissait bonne. (Elle vida son verre.) Vous vivez ici, à Trinidad?

— Je travaille ici, sur un derrick.

— Je sais qu'il y a des puits de pétrole dans la région, mais je n'en ai encore jamais vu.

— Ils sont au sud, pour la plupart. Etes-vous déjà allée au Pitch Lake?

— Oui, c'est macabre.

Silence de quelques instants. Mon verre était vide et, d'un mouvement de tête, Rhona fit signe au barman de m'en servir un autre.

— Pour combien de temps êtes-vous ici? lui demandai-je.

— Nous partons demain matin.
— Où allez-vous?
— En Amérique du Sud.
— D'où venez-vous?
— Nous habitons Londres. Je suis, Mr Dockery, ce que vous appelleriez une « pommie », ajouta-t-elle avec son petit sourire ironique.

Je souris à mon tour. « Pommies », c'est ainsi que, là d'où je viens, nous appelons les Anglais. Au temps de la marine à voile, quand trois ou quatre mois de haute mer séparaient l'Angleterre de l'Australie, il fallait se soumettre au régime des pommes de Grenade, pour éviter le scorbut. Ainsi, tout débarquant de la mère patrie était-il appelé « pommie » ou, plus affectueusement, « canaille de pommie ».

— De quelle région d'Australie êtes-vous?
— D'un endroit appelé Nockatunga, à l'ouest du Queensland.
— Nockatunga, répéta-t-elle en faisant rouler sur la langue les syllabes exotiques comme si elles étaient des graines de lotus.

Puis elle me demanda :

— Le D dans votre nom, ça veut dire quoi?
— Damien, répondis-je, écœuré.
— Mon Dieu! glousse-t-elle.
— Que faites-vous ce soir, Miss Beckwith?
— Rien de particulier. Pourquoi?
— Accepteriez-vous de dîner avec moi?

Ses yeux, qui observaient les miens, étaient d'un vert pâle.

— Moi seule? Ou... Ou avec Helga?
— Eh bien! Si Helga ne devait pas en être vexée, je préférerais...

— Helga ne sera pas vexée.

Elle secouait la tête et ses cheveux couleur de vigne vierge à l'automne se mouvaient lentement, telles de lourdes draperies autour de son cou.

— Aimez-vous la cuisine italienne?

— Seraphina est mon deuxième prénom.

— Vous plaisantez.

— Oui, mais j'aime la cuisine italienne.

Elle me souriait avec chaleur, avec éclat. C'était presque trop beau pour être vrai. Jamais encore je n'ai réussi avec tant de facilité auprès d'une fille et surtout pas auprès d'une fille comme celle-là, qui est de loin ce que j'ai vu de plus beau au monde. La couleur de ses yeux a changé à présent et ils sont d'un indigo profond et limpide.

— Helga, qui est-elle... Je veux dire, par rapport à vous?

— Une riche veuve qui m'emploie.

— Elle est aveugle, n'est-ce pas?

Le sourire disparaît du visage de Rhona et pendant un instant elle semble perdue dans ses pensées.

— Depuis qu'elle a dix-huit ans.

J'offre une cigarette à Rhona qui l'accepte et avale une gorgée de scotch.

— Vous n'avez pas l'air d'un pétrolier, dit-elle finalement.

— De quoi ai-je l'air?

— Je me suis toujours imaginé les pétroliers comme des sortes de géants, à la nuque rouge, mâchant des cigares, portant d'immenses chapeaux et des bottes de cow-boy.

Je me contentai de sourire et de la regarder. Elle me demanda :

— Que faisiez-vous avant d'être pétrolier?

— J'étais dans la marine.

— Officier?

— Lieutenant de vaisseau, dis-je avec emphase.

— Vraiment?

— Vraiment!

Je ponctuai mon affirmation d'un signe de tête, devinant que c'était un peu dur à avaler.

— N'est-ce pas une sorte de déchéance de passer de l'état d'officier de marine à celui de pétrolier.

— J'ai été viré.

— Pourquoi?

— Je me suis écrasé.

— Vous étiez pilote?

— Une sorte de pilote.

— Sur quoi voliez-vous? demanda-t-elle intriguée.

— Sur des avions... Et si nous parlions un peu de vous, à présent?

— Pourquoi? interrogea-t-elle en continuant de sourire et à ne pas me quitter des yeux.

Elle avait appris quelque chose sur mon compte et semblait essayer de faire entrer dans ce nouveau cadre l'image de ma petite personne qu'elle avait sous les yeux.

— Je préférerais parler de vous.

— Ne regardez pas tout de suite, mais il y a deux bonshommes assis à une table près de la porte, qui parlent de nous deux.

— Qui est-ce?

— Pas la moindre idée, mais ils nous ont regardés à la dérobée et se sont mis à chuchoter.

— Mon zip a sauté?

Elle éclata de rire.

— Ne vous vantez pas!

Elle posa sur le bar son verre vide.

— J'en voudrais un autre, puis, je monterai me changer, si nous sortons.

J'appelai du geste le barman et, dans les glaces, derrière le comptoir, repérai les deux types qui, disait Rhona, nous avaient regardés à la dérobée. L'un, petit, rondouillard avec une tignasse flamboyante, portait un complet foncé à rayures. L'autre, un homme grand, vigoureux, mal ficelé dans un vêtement tropical de toile beige, portait court ses cheveux couleur d'acier et de grosses lunettes cerclées de corne. Ils avaient l'air débarqués en droite ligne de Madison Avenue, ce qui était, au moins, le cas de l'un d'eux.

— Je le connais... le grand, dis-je à Rhona.

— Qui est-ce?

— Il s'appelle Malcolm Rider. Il est, entre autres, président de la Compagnie pétrolière Indo-Texane, l'affaire dont dépend celle pour laquelle je travaille.

— Mon Dieu! J'espère que vous n'avez pas fait le mur?

— Non, je suis en règle.

— Attention, le voilà qui vient vers nous.

Je me détournai et regardai Rider s'approcher. Il était aussi grand que moi et à peu près deux fois plus gros.

— Désolé de vous interrompre, dit-il, mais je crois que nous nous connaissons...

— En effet, vous êtes Malcolm Rider.

— Et vous, Bill... Bill?...

— Jim... Jim Dockery.

— Bien sûr! s'exclama-t-il comme si je venais de résoudre pour lui l'énigme de l'univers.

Il me tendit la main et je la lui serrai.

— Heureux de vous voir, Jim...

Puis il regarda Rhona Beckwith.

Je les présentai, Rider prit la main qu'elle lui offrait, s'inclina légèrement, marmonna un bonjour et s'adressa de nouveau à moi :

— Je vous ai rencontré... Laissez-moi réfléchir un instant.

— En Arabie Saoudite, à Dhahran, il y a environ trois ans, et auparavant à Nome, en Alaska.

— Eh oui! s'exclama-t-il comme s'il s'en souvenait parfaitement. Et à présent, vous êtes ici, près de Fyzabad, avec l'équipe de Frank Farrell, je suppose?

— C'est bien ça.

Le barman nous servait, Rhona et moi. Rider lui dit :

— Ajoutez un Martini vodka très sec, voulez-vous et mettez le tout sur mon compte.

— Très aimable à vous, remercia la fille en souriant à Rider.

Il lui rendit son sourire.

— Mais ce n'est rien, voyons. Vous êtes en vacances à Trinidad, Miss... euh! Miss?...

— Beckwith, énonça-t-elle avec quelque solennité mais en continuant de sourire. Oui, je suis en vacances ici.

— Vous vous y plaisez?

Je la vis non sans surprise me toiser de bas en haut. Et elle répondit :

— Je commence à m'y plaire, oui.

— Je ne sais pas ce que vous avez et que je n'ai pas, Jim Dockery, énonça Rider, dévorant la fille des yeux, mais vous avez certainement un avantage sur moi.

Je lui coupai l'herbe sous le pied, voulant éviter qu'il se mette à faire du charme à la fille et je dis de mon ton le plus officiel :

— Je ne savais pas que vous étiez à Trinidad, Mr Rider. Viendrez-vous jusqu'au derrick?

— Non... dit-il, énigmatique, et il but une gorgée de son cocktail, puis reposa son verre sur le comptoir. Jim, je vais vous demander un petit service.

— Ah? dis-je sachant fort bien que ce que Malcolm Rider appelait un petit service était, pour nous les vermisseaux, un ordre impératif.

— Ma présence à Trinidad n'a rien à voir avec le pétrole. Je suis ici pour une affaire strictement personnelle. Je vous saurai donc gré d'oublier que vous m'avez rencontré.

— C'est oublié, assurai-je en haussant les épaules.

— Merci. Je voudrais simplement être libre de mes mouvements. Et si Frank Farrell apprend que je suis ici, il voudra me traîner de cocktail en cocktail, et me présenter au président, et m'intéresser à ses problèmes opérationnels. Et je n'en ai pas envie pour le moment. D'abord, je n'en ai pas le temps et ensuite, je ne suis pas ici officiellement. Je suis en vacances. J'aurais dû repartir demain, mais il y a eu un imprévu qui fait que nous nous en irons après-demain seulement. Donc, si vous pouviez ne pas dire jusque-là que vous m'avez vu, vous m'obligeriez.

— Je jure devant Dieu que j'ai vu Malcolm Rider pour la dernière fois en Arabie Saoudite.

— Merci Jim. (Il s'éloigna d'un pas.) Je ne veux pas vous déranger plus longtemps. Prenez encore une tournée en mon honneur et bonne soirée. Heureux de vous avoir rencontré, Miss... euh...

— Baumgartner...

Rhona souriait.

— Miss... euh...

Il eut un petit sourire gêné, sachant que le nom de la fille n'était certainement pas Baumgartner. Il rougit même un peu, regagna sa table près de la porte où était resté son petit compagnon trapu.

— Drôle d'homme, dit Rhona Beckwith.

— Ils sont tous comme ça, les grands patrons, un peu cinglés.

— Je me demande ce que peut bien être cette affaire strictement personnelle!

— Probablement a-t-il simplement envie de faire quelques parcours de golf sans être appelé au téléphone par le siège chaque fois qu'il est prêt à lancer sa balle... C'est ce qui se passe quand on est pris dans l'engrenage, on ne s'en sort plus.

CHAPITRE II

Nous nous rendîmes dans un restaurant italien auquel j'avais accordé deux ou trois fois ma clientèle, sur la plage, près de Dos Puntas. Il avait un sol en ciment et un toit en paille au travers duquel on voyait les étoiles vous cligner de l'œil du haut du ciel. Au bas de la longue pente qui menait à la plage, la sombre mer des Caraïbes baisait le nez de Trinidad. Il y avait un petit orchestre, un homme, pieds nus, qui se promenait entre les tables en jouant « O sole mio », le banjo remplaçant la guitare. Un décor factice et miteux, mais la cuisine était bonne.

Le maître d'hôtel, Giacomo, me donnait du Signor Dockery, mais l'attention qu'il nous témoignait était due, je le suppose, plus à la carrosserie de Rhona Beckwith qu'à la valeur de ma clientèle.

— Etes-vous déjà venu souvent ici? me demanda-t-elle lorsque nous fûmes assis.

— Deux ou trois fois.

— Votre table habituelle, Signor. (Elle imitait le malheureux Giacomo.) Voilà votre table, Signor — pour deux, dans un coin sombre.

J'examinais la carte que, de toute façon, je connaissais par cœur.

— Je pense que ma place a dû souvent être honorée par quelque popotin exotique.

— Par la femme de mon patron, une fois, et son popotin n'a rien d'exotique.

— Vous vous propagez beaucoup dans le monde, Dockery.

— Pas précisément. Que voulez-vous manger?

— L'Arabie Saoudite, l'Alaska, la femme du patron...

— Ecoutez, ça va comme ça!

Je la menaçai du doigt.

Sans cesser de sourire elle saisit ma main à travers la table, l'emprisonna entre les siennes et me regarda de ses yeux pénétrants et directs.

— L'endroit vous plaît? demandai-je doucement.

— C'est merveilleux, murmura-t-elle.

— Bien!

— Etes-vous marié, Dockery?

— Divorcé.

— Parlez-moi d'elle.

Je haussai les épaules.

— Elle était infirmière. On ne devrait jamais épouser son infirmière... ou, quand il s'agit d'une femme, son moniteur de ski.

Elle sourit.

— Etes-vous mariée?

— Non.

Elle éclata d'un rire chaud, harmonieux.

— Si j'étais vierge? Cela vous plairait?

— Ce serait intéressant. Je n'en ai encore jamais rencontré.

— Nous sommes une espèce en voie de disparition.

— Alors, vous devriez vous renverser en arrière et accepter l'inévitable, conseillai-je.

— Autrement dit l'extinction, dit-elle dans un rire. Je ne crois pas un traître mot de ce que vous m'avez dit, Mr Dockery. Mais vous mentez d'une façon charmante.

— Qu'est-ce que vous ne croyez pas?

— Que vous étiez pilote dans l'aéronavale.

— Je ne crois pas davantage que vous êtes vierge.

— Quels avions pilotiez-vous?

— Des Skyhawks, puis des Phantoms... Que signifie « Rhona »?

— Je n'en sais vraiment rien. C'est d'origine galloise, je crois... Je ne savais pas que la marine australienne possédait des Phantoms.

Elle était fichtre bien informée, cette fille.

— J'étais détaché dans la marine américaine.

— Vraiment?

— J'étais une sorte d'offrande aux dieux qui nous préservaient du Péril jaune, au nord de chez nous.

— Vous parlez du Viêt-nam?

— Oui.

— Et c'est là que vous vous êtes écrasé?

— Oui.

— On vous a tiré dessus?

— Oui.

— Et vous n'aimez pas en parler?

— Non, je n'aime pas en parler.

Pendant un moment elle resta silencieuse, à m'observer. Je mangeais mon osso buco, sirotais mon chianti et la flamme de la bougie allumait deux minuscules soleils dans les profondeurs intergalactiques des yeux de Rhona.

Après le dîner, nous dansâmes, son corps très près du mien, mon visage dans ses cheveux, humant leur parfum. Je n'aurais jamais osé rêver une nuit pareille, dans le lit vibrant de ma baraque suintante en aluminium, à Fyzabad. Rhona était la plus belle femme parmi celles présentes. Tous les hommes, toutes les autres femmes la regardaient furtivement et murmuraient quelques mots à son sujet.

— Vous êtes déchargée de votre obligation, à présent, et je vous reconduirai chez vous, si vous le voulez, dis-je.

Elle éloigna son visage et fixa ses yeux droit dans les miens.

— Quelle obligation?

— Vous vous sentiez obligée envers moi, parce que je vous ai cueillie dans la brousse au moment où vous aviez un petit ennui. Non?

Pendant un instant, elle me regarda, silencieuse, sans ironie, tandis que nous traînions les pieds sur la piste en faux marbre. Puis elle me dit :

— Je vous ai interrogé sur le Viêt-nam et cela vous déprime. Je regrette, chéri.

— Cela ne me déprime pas, mentis-je sans grande conviction.

— Je n'y ferai plus jamais la moindre allusion.

— Vous pouvez bien en parler, mais le moment est mal choisi.

Elle eut un petit sourire, rapprocha de nouveau son visage du mien. Mes lèvres étaient sur son oreille et j'embrassai l'oreille puis, juste au-dessous, le cou délicat.

— Donc, je suis déchargée de mon obligation, murmura-t-elle.

— Vous n'en aviez aucune...

— C'est bien pour cela que je suis ici.

— Pour ma personne ? demandai-je, empli d'espoir.

Elle ne répondit rien, se serra simplement un peu plus contre moi et nous dansâmes. Plus tard, il y eut quelques verres, quelques cigarettes, et nous dansâmes de nouveau.

Elle me murmura alors :

— Jamais un homme ne m'a fait éprouver ce que je ressens à présent.

— Que ressentez-vous?

— Le besoin d'une promenade sur la plage.

Nous nous sommes dirigés à travers les dunes vers la plage où le sable était humide après la marée. Je portais les escarpins de Rhona qui marchait pieds nus. Le sable luisait sous le clair de lune et s'assombrissait autour des empreintes de ses pas. A travers le léger tissu blanc de sa robe, je devinais la forme de son corps.

Un peu plus loin, des filets séchaient au vent et des bateaux étaient tirés sur le sable.

— Pourquoi boitez-vous, Dockery? me demanda Rhona.

— J'ai un genou déglingué.

Je m'assis sur le bordé d'une barque et allumai une cigarette. Rhona descendit en courant jusqu'à l'eau et y trempa les pieds.

Nous n'entendions plus l'orchestre du restaurant. Le chaud silence enivrant de la nuit nous entourait. Rhona remonta vers moi, toujours courant, me passa les bras autour du cou et mit sa bouche sur la mienne. Et ce furent mes mains qui coururent sur sa peau, sur ses cuisses nues, puis sur le léger slip en nylon qui moulait ses fesses, puis de nouveau sur sa peau, ses hanches, sa taille, soulevant la robe, et sa peau était fraîche et délicate comme un nuage.

— Que voulez-vous dire par « un genou déglingué »?

— On m'a mis une rotule en inox, parce que l'originale était perdue. Et les rotules en inox ne se huilent pas aussi automatiquement que les naturelles sont censées le faire. Alors, parfois, je boite.

— Ça vous fait mal?

— Oui... je suis au supplice.

Elle eut un instant l'air peiné, puis se rendit compte que je n'étais pas du tout au supplice. Alors elle rit, m'embrassa de nouveau, puis dit :

— Je ne sais pas si vous élevez des objections morales contre le bain nu, Mr Dockery. Mais ça m'est égal, et je vais en prendre un.

La robe passa par-dessus sa tête et sa poitrine apparut, nue. Elle ne portait que son slip. Les seins étaient fermes, chacun aurait empli une bonne main, et si blancs que par contraste les mamelons paraissaient noirs. Sous la poitrine, le ventre long et plat descendait comme une pente de ski jusqu'à une vallée chaude et accueillante. Le slip glissa sur les hanches, les genoux, les chevilles, et Rhona s'en débarrassa.

— A tout à l'heure, jeta-t-elle, et elle descendit en courant entre les bateaux, vers la mer étincelante.

Elle s'arrêta, de l'eau jusqu'aux chevilles, la lune au-dessus d'elle, se détachant en courbes gracieuses, silhouette sombre sur la mer argentée. Image qui devait se révéler étrangement prophétique — une vision évocatrice d'Aphrodite sortant des vagues qui lui avaient donné naissance pour gagner la rive.

Pendant un moment, on eût dit que Rhona rendait son culte à la lune.

« Au diable! » me dis-je.

Je jetai ma cigarette, me déshabillai et courus jusqu'à la mer. J'y pénétrai en éclaboussant Rhona au passage, plongeai et fus englouti dans la chaleur de l'eau noire.

Rhona m'appela pour que je retire l'épingle qui fixait ses cheveux sur la nuque. Pendant que je la cherchais, elle me demanda en riant :

— Vous êtes sûr que votre rotule est bien en inox, qu'elle ne va pas rouiller?

J'enlevai l'épingle, ses cheveux lui tombèrent sur les épaules. Puis, nous nous laissâmes flotter au gré de la mer mouvante, ensemble, ne formant plus qu'un seul corps. Rhona était allongée, la tête rejetée en arrière, son visage blanc levé, ses cheveux mouillés épars sur l'eau. Il y avait en elle une froideur qui m'enflammait. Ses seins aux mamelons durs avaient un goût de sel mais une grande douceur et, dans sa poitrine, j'entendais le rythme de son cœur. Je sentais ses longs doigts légers comme la plume courir sur mon dos, ses jambes m'encerclaient. Mon pied avançait mollement sur l'édredon de sable doux du lit de la mer, tandis que nous glissions au gré des longs et irrésistibles mouvements de la Caraïbe.

Lèvres entrouvertes, Rhona gémissait doucement, comme le vent.

Et puis, nous remontâmes pour nous allonger près de nos vêtements dans un creux entre les dunes. Rhona était à demi couchée sur moi et me regardait en plein visage.

— Je pourrais vous aimer, dit-elle.

— Vous venez de le faire, admirablement...

— Je veux dire pour toujours, à l'exclusion de tout autre.

Drôle de coup! J'étais plutôt abasourdi et, pendant un moment, je restai simplement allongé sur le dos, le regard plongé dans ses yeux sombres.

Puis elle sourit et déclara :

— Je regrette, chéri, je ne voulais pas vous effrayer.

Elle se laissa glisser et s'allongea sur le sable, à mon côté.

— Vous ne m'avez pas effrayé.

— Donnez-moi une cigarette.

Je lui en donnai une, la lui allumai et répétai :

— Vous ne m'avez pas effrayé.

— Peut-être que non, mais c'est moi qui m'effraie.

— C'était une demande en mariage?

— Ne vous moquez pas de moi, Jim Dockery.

Je regardai les étoiles.

— Je ne me moquais pas. Seulement on ne peut pas dire que j'avais été assailli d'offres de mariage ces derniers temps.

Rhona était maintenant sur le côté et glissait son doigt sur la longue cicatrice de mon ventre.

— Ça date du même jour que votre genou?

— Oui. J'ai dû m'éjecter à près de deux mille mètres. J'ai atterri dans un arbre.

— Vous n'êtes pas obligé de parler de ça.

— Bien.

Je tirais sur ma cigarettte, mais au bout d'un moment, Rhona me dit :

— Jim?

— Oui?

— Avez-vous un béguin pour Helga?

— Si j'ai quoi?

— Le béguin pour elle? Vous plaît-elle?

— Elle est un peu vieille pour moi, non?

— Je vous ai vu la regarder dans la voiture, après que vous nous avez sorties de la brousse.

— Je regarde des tas de gens. Ça ne veut pas dire que je vais leur sauter dessus.

— Alors, que pensez-vous d'elle?

— Elle a de la classe.

— Elle a tout.

— Sauf la vue.

— Ça n'a jamais été un très gros handicap pour elle.

— Comment a-t-elle perdu la vue?

— En Allemagne, à la fin de la guerre. Une bombe, je crois. Puis elle est devenue veuve. Voilà près de vingt-cinq ans qu'elle est veuve et elle a eu des centaines de demandes en mariage. Mais cela ne l'intéresse absolument pas. Pouvez-vous deviner pourquoi?

— Non!

— Eh bien! je vais vous l'apprendre. (Rhona tira longuement sur sa cigarette.) Helga préfère les femmes.

Je jetai un coup d'œil sur Rhona. Elle était tranquillement allongée, contemplant le ciel. Elle se hâta de dire :

— Oh! ce n'est pas moi depuis vingt-cinq ans, il y en a eu sept ou huit avant. Elle nous vire quand nous prenons de l'âge.

La lune avait disparu. Seules les étoiles jetaient un semblant de lumière sur les saillies du profil de Rhona. Brusquement, elle tourna son visage vers moi, et dit :

— Je suppose que ça change tout?

— Que voulez-vous dire?

— Vous le savez fort bien.

— Je ne comprends vraiment pas.

— Je suis une lesbienne... une gousse, murmura-t-elle.

— Vous couchez avec Helga?

— Oui, je dors avec elle. Elle me fait l'amour.

— Vous aimez ça?

— Pas particulièrement.

— Pourquoi le faites-vous?

— Ça fait partie de mon job.

Appuyé sur mes coudes, je regardais son visage. Elle était si diablement sérieuse et préoccupée par la grande révélation qu'elle venait de me faire, que je faillis éclater de rire.

— Vous savez ce que je suis à présent... une putain et pas même une putain normale.

— Si vous êtes une gousse, chérie, vous m'avez bien joué la comédie.

— Vraiment?

— J'étais mieux que Helga?

— Taisez-vous, Jim, m'enjoignit-elle dans un souffle.

Elle était étendue là, sur le dos, nue, se couvrant les yeux du bras et je lui demandai.

— Vous pensez que je me moque encore de vous?

— Ne le faites pas.

— Je ne me moque pas. Pour moi, cela ne fait aucune différence, ça ne change rien. Ce que vous m'avez raconté ne m'empêchera pas de vous désirer quand vous serez partie; ça n'empêchera pas mes reins de hurler leur envie de vous et ça ne m'empêchera pas de revenir ici, tout seul, de m'asseoir parmi ces dunes et de me rappeler cette nuit.

J'étais assis, les bras autour des genoux et tournant le dos à Rhona. Je sentis sa main sur mes reins.

— Merci, Jim Dockery, murmura-t-elle. Lorsque je serai partie demain. Non... aujourd'hui à présent, je vais vous regretter, moi aussi.

— Eh ben! ne partez pas, dis-je un peu vite.

— Il le faut. C'est un mauvais moment pour prendre une décision comme celle-là.

— Fichues pommies, soupirai-je.

— Imaginez que vous vous réveilliez au matin, souhaitant de tout votre cœur ne jamais m'avoir rencontrée...

— Ça ne m'arrivera pas!

— Vous le pensez pour l'instant.

— Imaginez que je me réveille au matin en découvrant que je ne peux plus vivre sans vous?

Elle ne répondit rien. Je m'étendis à côté d'elle, contre elle, et lui éloignai le bras du visage.

— Supposez que ça m'arrive?

— Supposez que ça m'arrive à moi?

— Alors?

— Je vous téléphonerai.

— Promis?

— Comment vous obtient-on?

— Réclamez l'opérateur du radiotéléphone à Port of Spain et demandez-lui « Indian » à Fyzabad.

— Fyzabad, répéta-t-elle.

— Vous promettez que vous m'appellerez?

Elle tourna vers le mien son visage, les lèvres à peine entrouvertes et murmura :

— Je vous promets que je vous appellerai.

Le lendemain matin, j'étais à l'aéroport, penché par-dessus la rampe de la terrasse devant le hall de départ, regardant les avions. Ils ne m'inspiraient plus de rêves héroïques, mais parfois j'aimais bien les contempler.

La fille était à côté de moi et m'observait.

— Ça vous démange toujours de voler, Jim?

— Parfois.

— Le pourriez-vous? Je veux dire, pourriez-vous encore piloter un avion?

— Ça dépend de l'avion. Ainsi, je ne pourrais pas prendre les commandes de ce joujou-là.

Sur le tarmac, un Globemaster C-124 attendant le feu vert haletait comme le champion du monde des poids lourds.

— Mais vous êtes toujours capable de piloter?

— J'ai pris une licence commerciale. Après avoir été réformé par la marine. Je me suis affilié à un club d'aviation, pour ne pas perdre la main. Et puis... je voulais m'acheter un zinc et transporter du fret...

Et puis, ma femme avait demandé le divorce et je m'étais mis à me noircir, à devenir agressif à cause de ce qui m'était arrivé au Viêt-nam. Et ça avait été la dégringolade.

— Pourquoi ne cherchez-vous pas un job de pilote? demanda Rhona.

Je haussai les épaules, puis la regardai et souris.

— J'aime forer! assurai-je et je tournai le dos au terrain.

A travers la paroi vitrée du hall, je voyais sa compagne, Helga von Thallin, patiemment assise sur une banquette en faux cuir, dans la nuit derrière les verres noirs. L'amant de Rhona! Dans sa jeunesse, cette Helga avait dû être très belle, elle aussi. Helga était assise les jambes croisées, et je me disais que des femmes qui n'avaient pas la moitié de son âge auraient donné gros pour des jambes comme ça. Pour ses jambes et aussi pour ses mains et la finesse de son cou. Elle ne paraissait pas plus de trente-cinq ans. Seuls, les plis de ses lèvres trahissaient son âge, mais ils étaient dus seulement à la souffrance. De toute façon, cela n'avait rien de déplaisant.

Brusquement, elle se dressa : leur vol était annoncé. Rhona se tourna vers moi :

— Disons-nous au revoir ici.

Elle s'approcha de moi et je l'enserrai étroitement.

— C'est l'histoire de ma vie, dis-je.

— Comment ça?

— Chaque fois que j'ai rencontré une fille comme vous, elle quittait la ville le lendemain, ou bien c'était moi.

Elle eut un sourire pâlot.

— Je vous téléphonerai, m'assura-t-elle.

— Au revoir, lui dis-je et je l'embrassai.

Elle partit et ne se retourna pas une seule fois. A ce moment-là, j'étais sûr que jamais je ne la reverrais. Je me consolais à la pensée que c'était probablement le mieux et, qu'une fois guéri d'elle, je bénirais le fait qu'elle soit partie pour l'Amérique du Sud ce matin et que les choses en soient restées là.

Après son départ, j'allai chercher les pièces détachées arrivées la veille et mis le cap sur Fyzabad.

Le soir, je me rendis au derrick et pris la garde de huit heures à minuit. Enhead Turner, que je relevais, me fit un compte rendu, mais je ne l'écoutais que d'une oreille. Les diesels vrombissaient, le monstre grondait, gerbe de lumière d'un arbre de Noël géant au milieu de la forêt sombre. La plate-forme du derrick tremblait, mais cette nuit-là, pour une fois, le bruit de la terre que l'on creusait à des centaines de mètres au-dessous de moi ne me transperçait pas les os.

Les dunes étaient pâles sous la lune, et Rhona me murmurait à l'oreille : « Je pourrais vous aimer... à l'exclusion de tout autre... »

Et toute la nuit sur le derrick se passa ainsi... à penser à cette femme qui était apparue dans ma morne existence et l'avait bouleversée au point qu'il allait me falloir des semaines, voire des mois, pour reprendre pied. Tout ce qu'elle avait dit, la façon dont elle l'avait dit, ses yeux profonds, qui passaient d'un vert d'eau vif à un sombre bleu indigo, changeants comme la mer Caraïbe selon le temps. Je revoyais comment juste à cette heure, la nuit dernière, je n'avais qu'un geste à faire pour la tenir entre mes mains alors que, cette nuit, ces mêmes mains étaient posées sur un foutu volant plein d'huile et ne se serraient que pour actionner des freins et que je respirais la poussière du sol rocailleux au lieu du parfum de ses cheveux.

CHAPITRE III

Dans l'après-midi, je fus réveillé par Frank Farrell qui martelait la porte de ma baraque. J'allai lui ouvrir en trébuchant, et la lumière éclatante me brûla les yeux. Je regagnai, toujours chancelant, ma couchette et pris à tâtons une cigarette. Farrell entra en retirant sa pipe, laissa tomber son chapeau sur le sol et s'affaissa sur l'unique siège, en face de moi.

— Pourquoi ne m'avez-vous pas dit que Malcolm Rider était à Port of Spain?

Je ne m'attendais pas à la question et dus réfléchir un instant à la réponse. Finalement, j'optai pour la vérité.

— Rider m'a demandé de ne pas vous en parler, Frank. Il m'a dit qu'il était en vacances et voulait sa liberté de mouvement.

— En vacances? répéta Farrell d'une voix incrédule.

— C'est ce qu'il m'a dit, affirmai-je en allumant ma cigarette.

— Ne me racontez pas de foutaises, mon vieux. Quelles vacances voulez-vous qu'on passe à Trinidad?

— Faut croire que ça plaît à Rider, dis-je en haussant les épaules.

« Il m'a raconté qu'il y était pour une raison qui n'avait absolument pas trait au pétrole...

Je commençais à en avoir marre.

— Vous m'avez réveillé juste pour me soumettre à la question?

— Non... Rider vient de m'appeler par radiophone. Il veut vous voir, à Port of Spain, immédiatement.

— Moi?

— Oui, vous.

Il resta silencieux, à tirer sur sa pipe, sans me quitter des yeux, attendant que je parle.

— Pourquoi veut-il me voir? demandai-je, revenu de mon ébahissement.

— J'espérais que vous seriez capable de me le dire, Jim, parce que, lui, ne l'a pas fait.

— Eh ben, j'en sais que dalle!

— Sûr, mon vieux?

— Foutrement sûr!

Farrell était très mal à son aise.

— Vous ne me feriez pas une entourloupette, Jim? Vous ne chercheriez pas à me faire dégommer, n'est-ce pas?

— Bon Dieu de bon sang, Frank...

J'étais prêt à me fâcher.

— Okay, okay. Mais vous ne trouvez pas étrange que ce soit vous qu'il veuille voir? Le président de la compagnie désirant s'entretenir avec un malheureux foreur? Vous devez bien avoir une idée sur ce dont il retourne, Jim?

— Ecoutez-moi, Frank. J'ai rencontré Rider par hasard dans un bar. Il nous a payé un verre à mon amie et à moi, et il m'a demandé de garder bec cousu parce qu'il voulait qu'on lui fiche la paix. Et puis, il s'en est allé. C'est tout ce qu'il y a eu, et je ne sais pas plus que vous pourquoi il veut me voir.

Farrell m'accordait le coup d'œil sinistre et songeur qu'il réservait aux scorpions qu'il trouvait dans ses bottes. Finalement il décréta :

— Bon! Puisqu'il veut vous voir, allez-y!

Je regardai ma montre.

— Quatre heures. Pas question que je fasse l'aller et retour de Port of Spain pour prendre mon tour à minuit. Je n'ai dormi que deux heures.

— Ziebarth prendra votre tour et vous lui en devrez un... (Farrell se leva.) Et je désire savoir ce dont il s'agit dès votre retour.

Je résolus de l'embêter un peu.

— Je le dirai de votre part à Rider... Frank désire savoir ce dont il s'agit, Mr Rider.

Il retira sa pipe de sa bouche et l'ouvrit, prêt à se lancer dans un discours, puis il y renonça, se pencha, attrapa son chapeau et s'en alla en claquant la porte derrière lui.

Je me douchai, me rasai, m'attifai. J'allai sortir la jeep et me voilà à nouveau en route vers Port of Spain. Je m'interrogeais sur Malcolm Rider. Il m'avait dit qu'il était retenu à Port of Spain par un imprévu, mais qu'il comptait s'en aller le lendemain. Son « lendemain », c'était hier. Si vous me suivez. Donc, il était manifestement survenu un nouvel imprévu. Mais, pour l'amour du ciel, qu'est-ce que ça pouvait bien avoir à fiche avec moi?

*
* *

Je demandai Rider à la réception du *Barcelona*. L'employé s'enquit de mon nom, téléphona et me dit de monter au sixième étage.

Rider m'attendait devant l'ascenseur. Il portait un vieux complet gris, une chemise de coton bleu foncé à col ouvert qui exposait son cou hâlé, fraîchement rasé. Il dégagea ses dents de l'énorme poids d'un immense cigare pour m'accueillir :

— Hello, Jim. Merci d'être venu si rapidement.

« Il le fallait bien, Mr Rider, pensai-je, je tiens à garder mon job. »

Il me conduisit dans le salon de son appartement. Le petit homme rondouillard que j'avais vu avec Rider au bar, l'autre soir, s'y trouvait déjà. Ecrasé dans un fauteuil de cuir, il tenait dans une main un « long drink » de je ne sais quoi et, dans l'autre, un mégot au bout d'un long fume-cigarette d'ébène et d'argent. Il avait les doigts boudinés et chargés de bagues d'un homme riche. Il ne se leva pas lorsque Rider fit les présentations.

— Jim Dockery — Eliot Eliphantis.

J'avais déjà entendu — ou lu — ce nom.

J'inclinai la tête, il inclina la tête et remit en bouche son fume-cigarette.

— Vous savez, bien entendu, qui est Eliot Eliphantis? me demanda Rider d'une voix rocailleuse.

— Le nom m'est connu.

— Il est le propriétaire des Galeries Eliphantis, à New York.

Je me souvenais, à présent. J'avais lu un article sur ces Galeries, dans *Life*, je crois. Je me rappelais une grande photo de l'endroit, sur la 5e Avenue : une façade de marbre noir avec les mots Eliot Eliphantis gravés en argent. Aux couleurs de son fume-cigarette.

— Je croyais qu'Eliot et Eliphantis étaient deux personnes distinctes.

Le gros homme eut un petit rire et se tapota la panse.

— Il y en aurait peut-être assez pour deux, plaisanta-t-il.

— Jim, asseyez-vous et prenez un verre, me dit Rider.

Je m'installai dans un fauteuil et demandai une bière. Ils avaient un serveur particulier qui tenait le bar sur lequel s'appuyait Rider.

— Je voudrais d'abord vous remercier de ne pas avoir parlé de notre rencontre de l'autre soir. J'apprécie qu'un homme tienne sa langue quand il l'a promis.

Je lui adressai un petit signe de tête et pris ma bière des mains du garçon.

— Cheer!

— Cheer, répondit Rider en levant son verre rempli de coca-cola. Jim, si je vous ai demandé de venir...

— Oui?

— La fille avec laquelle vous étiez l'autre soir, vous la connaissez bien?

Quelque chose en moi m'avertit comme fait un policier correct : Tu n'es pas obligé de parler, mais tout ce que tu diras pourra être retenu contre toi, donc, prudence!

— Pas tellement, dis-je en haussant les épaules.

— Une autre femme habitait ici avec elle. L'avez-vous rencontrée?

— Oui... (Je posai ma bière sur le guéridon.) Mr Rider, que voulez-vous savoir?

— Dites-moi leurs noms, Jim.

Il y avait comme une menace dans la voix de Rider et dans la façon dont il serrait les mâchoires. Quand des grosses légumes s'attaquent à moi, je me ramasse.

— La demoiselle s'appelle Rhona Beckwith et la dame se nomme Helga von Thallin.

La grosse légume faisait la moue, le regard fixé sur le tapis. Rider regarda Eliot Eliphantis et celui-ci lui retourna son regard, impassible comme un poisson qui rencontre une torpille.

— Exact, ce sont les noms sous lesquels elles étaient inscrites ici, dit Rider.

Je bus une gorgée de bière.

— Okay, je vais vous expliquer ce dont il s'agit.

Il s'assit dans l'autre fauteuil, prit une serviette posée sur le sol, la mit sur ses genoux, ouvrit les serrures avec ses pouces et dit :

— Une statue.

Je le regardais, prêt à m'esclaffer s'il plaisantait. Il faut toujours, qu'on les comprenne ou non, rire aux plaisanteries des grosses légumes.

Mais il ne plaisantait pas. Il sortit deux grandes photos monochromes et me les passa.

— Cette statue...

C'était celle d'une femme nue. Elle se tenait languide, dans un calme majestueux. Le poids portait sur une de ses jambes au-dessus de laquelle la courbe douce de sa hanche s'enflait voluptueusement. L'autre jambe, longue et délicate était au repos, légèrement fléchie au genou. Les bras étaient levés au-dessus de la tête, celle-ci appuyée contre le bras droit. Les yeux contemplaient le bout du sein droit. Les poings étaient réunis derrière la tête, de façon à juste dépasser la nuque. Ces poignets étaient enchaînés et une longueur de chaîne pendait dans son dos jusqu'au socle sur lequel elle était posée. Les photos la montraient de face et de dos et c'était, même pour mes yeux de béotien, une œuvre d'art de grande classe.

Eliot Eliphantis retira son fume-cigarette pour dire :

— Il existe chez les classiques de l'Antiquité deux mentions de cette statue. Dans l'une, Pausanias rapporte qu'un capitaine de navire nommé Menelisces de Cos, revenant de la guerre de Troie, mourut et fut enterré à Sounion... C'est lui qui, selon Pausanias, avait pris dans les ruines de Troie la Vénus enchaînée. L'autre mention se trouve dans Thucydide. Selon lui, il existait à Troie une statue d'Hélène représentée sous la forme de Vénus enchaînée, dont Menelisces de Cos s'empara comme butin de guerre.

Le gros homme tira plus énergiquement sur sa cigarette et but une gorgée avant de poursuivre :

— L'avis général était que si cette statue avait jamais existé, elle avait été détruite ou perdue irrémédiablement il y a des siècles. Mais, après la Seconde Guerre mondiale, circula parmi les musées, galeries, collectionneurs et autres intéressés, une liste des œuvres d'art disparues en Europe pendant les hostilités. Ceci afin d'éviter qu'elles puissent être vendues illégalement. Ce catalogue causa une certaine émotion dans le monde des arts, parce qu'il mentionnait la statue de Vénus enchaînée. On précisait qu'elle était en parfait état. On fit de nombreuses recherches pour découvrir l'identité de celui qui prétendait avoir possédé cette statue, mais toutes furent infructueuses. Le propriétaire est resté strictement anonyme, et la statue n'a jamais reparu. On a donc fini par estimer à l'époque qu'il s'agissait d'une plaisanterie d'un goût douteux.

Rider intervint.

— En réalité, Jim, si cette Vénus enchaînée existe « en parfait état », comme on l'a dit, elle est d'une valeur absolument inestimable. Or, il y a six mois, Eliot Eliphantis a été contacté par le représentant d'un homme qui prétend être en possession de cette statue. C'est ainsi que nous avons eu ces photos. Il dit qu'il veut vendre. Nous lui avons fait une offre et il l'a acceptée.

Je tendis mon verre vide au garçon pour qu'il le remplisse et dis simplement à Rider.

— Ah?

Le grand boss remit les photos dans la serviette, la referma, la reposa sur le sol à côté de son fauteuil. Puis il se pencha en avant, les coudes sur les genoux, mâchonnant son cigare :

— Nous ne savons pas comment la statue est tombée entre les mains de ce type. Nous pensons cependant qu'il l'a obtenue par des moyens douteux. Pour l'instant, ça ne nous tracasse pas trop. Nous avons à New York des avocats qui étudient cet aspect de la transaction. Mais il est possible que le gars essaie de nous vendre un faux. Ce qui pose des problèmes. Nous ne savons rien de notre vendeur, sinon qu'il habite quelque part en Argentine. Nous ne savons pas comment le contacter. Toutes les transactions d'Eliot concernant la statue ont été faites par l'intermédiaire d'agents mandatés par le vendeur. Nous ne savons ni d'où viennent ces hommes ni comment ils communiquent avec leur patron. Nous savons qu'ils expédient leurs câbles en code à une adresse télégraphique à Buenos Aires. De là, ils sont réexpédiés Dieu sait où.

Nous allons là-bas pour jeter un coup d'œil sur cette statue. Nous devions rencontrer un agent du vendeur — un certain Martinez — ici, à Port of Spain, il y a trois jours. Il devait nous dire où nous rendre. Le type ne s'est toujours pas montré.

Le garçon m'apporta une autre bière, et Rider continua.

— Or, j'ai appris que Mr Martinez était ici il y a quatre jours. Il a été vu la veille du jour où il était censé nous rencontrer, Eliot et moi. Il se trouvait dans l'appartement d'Helga von Thallin, dans cet hôtel même. Il a dîné avec vos deux amies, Jim! C'est ce garçon qui les a servis, ajouta-t-il en désignant de la tête l'homme qui venait de me donner ma bière.

Je réfléchis un instant, comprenant à présent pourquoi il manifestait de l'intérêt pour Rhona et Helga.

— Vous craignez qu'elles ne lui aient offert un prix supérieur au vôtre pour la statue? demandai-je finalement.

— C'est une hypothèse possible, répondit Rider avec agacement.

Il se leva et se mit à arpenter la pièce.

— Mais que diable ont-elles fait de ce type? S'il se promenait en faisant des offres, pourquoi ne s'est-il pas adressé à nous en nous donnant une chance de lui proposer davantage?

— Auraient-elles acheté le type? suggérai-je.

— A moins qu'elles ne l'aient assassiné, dit Eliot.

— Vous êtes fou! murmurai-je en le regardant, indigné.

— Pour posséder une pièce comme la Vénus enchaînée! On a commis des meurtres pour moins, beaucoup moins que ça, mon ami.

Mes yeux allaient, incrédules, de l'un à l'autre.

Puis Rider dit, avec une férocité rentrée :

— Je veux savoir qui sont ces deux femmes, Jim. Je veux savoir qui elles sont et quel est leur jeu. Ce ne sont pas des collectionneuses, sinon Eliot aurait entendu parler d'elles. Donc, qui diable sont ces femmes et d'où sortent-elles?

— Je pense qu'il est plus important encore de savoir où diable elles sont allées, dit Eliot.

Je me levai moi aussi et, moi aussi, je me mis à marcher de long en large. J'allumai une cigarette et déclarai.

— Miss Beckwith m'a dit qu'elles habitent Londres.

— Et où allaient-elles, en partant d'ici? demanda Rider.

— En Amérique du Sud. Elles ont pris l'avion pour Buenos Aires.

— Buenos Aires! laissa échapper Rider entre ses dents tout en jetant un coup d'œil à son gros compagnon.

— Vous pensez qu'on devrait y aller? demanda celui-ci.

— Elles sont parties hier matin. Si nous louons un jet, nous n'arriverons là-bas que demain, ce qui leur donne une sérieuse avance sur nous, en admettant qu'elles y soient encore. Et puis il nous faudrait les y repérer ce qui peut prendre pas mal de temps.

Brusquement, Rider entra dans une rage folle. La voix enrouée par la fureur, il tonna :

— Bon sang de bordel! Je savais dès le début que ça arriverait. Cette foutue affaire s'annonçait trop bien, si bien que ça présageait le pépin. Quatre, cinq mois de suées pour trouver l'argent et nous voilà coiffés sur le poteau par ces merdeuses de clandestines que personne n'a jamais vues dans le circuit. Je vous le dis, Messieurs, si ces deux goules n'ont pas coupé la gorge de ce Martinez, c'est moi qui le ferai!

Les narines de Rider étaient blanches, la sueur perlait au-dessus de sa lèvre supérieure.

— Calmez-vous, Malc, nous n'avons encore rien perdu pour le moment, dit Eliphantis.

— Mais sûr que nous n'allons pas gagner, mon vieux!

— De combien était donc votre offre? demandai-je.

— Strictement confidentiel! répliqua Rider. Mais soyez sûr que ça fait une montagne d'argent.

— Essayez donc d'acheter la Vénus de Milo, Mr Dockery, expliqua Eliphantis, ou l'Hermès de Praxitèle, ou l'Eros d'Artémision! Des pièces comme celles-là sont, comme l'a souligné Malc, inestimables. Il n'y a pas de prix établi pour ces choses et, par conséquent, aucun moyen de comparaison avec aucune somme payée en espèces. Le fait est que chacune de ces pièces est unique et irremplaçable. Donc, si vous en avez une à vendre, vous pouvez en demander un peu moins ou un peu plus selon la rapidité que vous voulez donner à la transaction. Demandez-en dix mille dollars et l'affaire sera conclue en dix secondes; demandez-en cent millions, alors il vous faudra probablement attendre quelques années pour trouver l'acheteur capable de les payer... mais vous le trouverez.

— Cent millions?

J'avais l'impression qu'on se fichait de moi.

— Un seul homme ne peut naturellement pas

disposer d'une pareille somme, ni même du dixième, énonça Rider. Je représente un consortium de gens extrêmement fortunés, des pétroliers du Texas pour la plupart, et tout ce que je peux vous dire c'est que notre offre atteint une somme de huit chiffres.

— Qu'est-ce qui vous laisse supposer que Helga von Thallin pourrait offrir plus que vous-même?

— Elle ne le peut certainement pas personnellement, expliqua Rider, impatienté de me voir la compréhension aussi lente. Mais savez-vous qui elle représente? Elle pourrait agir pour un Etat souverain et avoir derrière elle une trésorerie nationale : le gouvernement britannique, le gouvernement allemand... n'importe quel gouvernement. Un trésor artistique comme la Vénus enchaînée est un atout pour une nation. Des gens du monde entier viennent dans votre pays uniquement pour voir un tel chef d'œuvre. Nous le voulons pour les Etats-Unis.

— Je vois! dis-je.

— Helga von Thallin nous a eus. Je ne sais pas comment elle s'y est prise, mais elle nous a coupé l'herbe sous le pied.

— Et nous sommes bien certains qu'elle ne travaille pas pour les Etats-Unis, marmonna Eliphantis.

— Vous restez et vous dînez avec nous? me demanda Rider.

— Oui, dis-je, victime d'une brusque aberration mentale. Dites-moi, vous reconnaîtriez cet agent qui devait vous retrouver ici, si vous le voyiez?

— Non, mais le garçon qui nous sert le pourrait. Pourquoi?

— J'aimerais passer la nuit ici, repartir pour Fyzabad demain matin et emmener le garçon avec moi.

— Mais pour quelle raison? Qu'avez-vous en tête?

Je me levai, écrasai ma cigarette et m'écartai un peu des deux hommes parce que je ne voulais pas qu'ils me regardent. Vous savez ce que c'est quand on a brusquement l'impression qu'on s'est fait couillonner. On éprouve l'irrésistible envie de disparaître dans un trou de souris pendant deux ans, jusqu'à ce que tout soit oublié.

— Je vous le dirai demain matin, répondis-je à Rider.

*
* *

Au matin, nous découvrîmes le corps de Mr Martinez. Il était dans les broussailles au-delà de l'endroit où la Lincoln était embourbée. Il était bien camouflé et nous ne l'aurions pas retrouvé si je n'avais été fichtrement sûr qu'il devait être par là. Il était dans un petit caniveau, recouvert de terre, de branches et de feuilles. Aucune odeur de pourriture ne le trahissait aux charognards ou autres nécrophages, car il était enfermé dans un sac de plastique. Un de ces sacs, m'expliqua le garçon, que l'hôtel *Barcelona* mettait à la disposition de ses clients pour leur blanchissage.

Nous n'ouvrîmes pas le sac, ni ne dérangeâmes son occupant pour savoir comment il était mort. L'expression de son visage laissait penser qu'il était mort en criant. Pour moi, je jugeai qu'il avait été empoisonné. Nous le recouvrîmes de nouveau et l'abandonnâmes dans son trou. Puis nous revînmes jusqu'à la route où, dans leur Cadillac de louage à air conditionné, nous attendaient Rider et Eliot Eliphantis.

Je me glissai sur le siège avant, à côté du chauffeur, me tournai vers Rider et dis :

— Il est là.

D'un geste lent, élégant, Eliphantis retira son fume-cigarette d'entre ses dents et regarda à travers la glace le garçon qui se tenait planté là, suant à profusion sous l'éclat blanc du soleil. Le garçon hocha la tête, à travers la vitre teintée, pour confirmer mon propos.

— Mr Dockery, dites-nous exactement dans quelles conditions vous avez rencontré ces deux femmes, m'enjoignit Eliphantis.

Je le leur racontai.

— Et la fille est restée avec vous toute la nuit?

— Oui, répondis-je au bord de la nausée.

— Vous savez pourquoi?

— A présent je le sais.

— Pour vous garder à l'œil, si jamais le cadavre était découvert avant qu'elles aient eu le temps de quitter l'île. Vous êtes probablement le seul témoin qui aurait pu établir un rapport, décréta Rider.

— Bon! Pas de points sur les i.

— Elles ont amené Martinez vivant ici... Elles l'ont entraîné dans la jungle sous un prétexte ou sous un autre, de façon que personne ne l'entende s'il criait. Et, après l'avoir fait parler...

Rider plaça son index en travers de sa gorge et imita assez bien un couic mortel.

— Charmantes femmes, observa Eliphantis.

— Alors, que faisons-nous? On avertit la police locale? s'enquit Rider.

— Ça servirait à quoi? A rien d'autre qu'à nous obliger à rester ici un jour de plus, à faire des dépositions et des déclarations et Dieu sait quoi encore. Nous devons aller à Buenos Aires, déclara Eliot.

— Vous avez raison. Mais il nous faudra faire taire le garçon.

— Vous vous occuperez de lui, Malc... Que diriez-vous d'emmener Mr Dockery avec nous à Buenos Aires?

Je le regardai, puis Rider. Celui-ci mâchonna son cigare un moment, comme s'il réfléchissait à la suggestion. Puis il prit son cigare entre le pouce et l'index et me demanda :

— Le derrick est à quelle distance d'ici, Jim?

— Une trentaine de kilomètres.

— Vous prenez votre jeep et vous y allez. Nous vous suivrons. Je pense que je pourrai expliquer un peu à Frank Farrell ce qui se passe. Je signerai également une réquisition pour qu'il puisse faire venir par avion de Miami quelqu'un pour vous remplacer.

— Que voulez-vous que je fasse à Buenos Aires?

— Vous n'avez pas envie d'y venir? interrogea Rider qui, brusquement, semblait me soupçonner. Vous toucherez votre salaire et serez défrayé de tout.

— Bien sûr que j'ai envie de vous accompagner, mais une fois là-bas, qu'est-ce que je ferai?

— Vous connaissez ces deux femmes. Vous les avez vues de très près. Moi, je n'ai fait qu'entrevoir la fille qui était avec vous. Et ni Eliot ni moi n'avons jamais vu l'autre. C'est assez simple, pour une femme, de changer d'apparence... se couper et se teindre les cheveux, modifier son maquillage... Je pourrais ne pas reconnaître cette fille, même si je la tenais sur mes genoux. Vous ne vous y tromperiez pas, vous?

— Je suppose que non! dis-je en extrayant une cigarette du paquet qui se trouvait dans ma poche de chemise.

— Emmenez le garçon dans votre jeep. Nous vous suivons...

Bon! Voilà que j'étais en route pour Buenos Aires. Mais l'invitation de Rider n'était que la première que je devais recevoir ce jour-là.

A mon arrivée au campement, Barbara, la femme de Frank Farrell, m'informa qu'on m'avait appelé de Buenos Aires, la veille à six heures du soir. Le demandeur était une femme qui n'avait pas donné son nom, disant qu'elle rappellerait ce soir à six heures.

Rider et Eliphantis s'installèrent pour que je puisse attendre cette communication.

Je me rendis dans ma baraque et m'étendis sur ma couchette. On se serait cru dans une étuve, et je laissai la porte ouverte dans le fallacieux espoir d'un souffle d'air. Je fus envahi immédiatement par une nuée de mouches et de moustiques et dus fumer à la chaîne pour ne pas être dévoré.

Rien de ce que j'avais fait avec une femme n'avait jamais réussi. Généralement, c'était ma faute. Cette fois, c'était la sienne. Elle était une meurtrière. Quand vous êtes excité par une fille, cette sorte de révélation tend à vous refroidir, et à vous faire penser qu'il vaudrait mieux regarder un peu plus loin pour trouver la compagne de votre vie. Cette Rhona m'avait piégé, avec son corps et ses protestations d'amour sincère, pour m'occuper jusqu'au moment où elle et son Helga prendraient l'avion; pour m'empêcher de parler devant des étrangers de deux dingues de bonnes femmes qui avaient quitté la route pour s'enfoncer dans la forêt avec leur voiture.

Rnona avait promis de m'appeler. Si toute l'histoire n'était qu'une machination, alors sûrement que la promesse en faisait partie, qu'elle n'avait pas seulement été donnée sous l'influence du clair de lune et du chianti de Giacomo.

Mais alors, pourquoi diable m'appelait-elle? Elle n'imaginait certainement pas qu'elle pouvait continuer cette comédie, même si elle le voulait... Je suis un imbécile, mais personne n'est imbécile à ce point.

Quoi qu'il en soit, peu avant six heures, je m'en allai d'un pas tranquille à travers les cocotiers jusqu'au bungalow de Farrell. Rider et Eliphantis, en manches de chemise étaient assis tous les deux dans de grands fauteuils à bascule sur la véranda et sirotaient des « planteurs ». La chaleur les faisait suer à grosses gouttes, et Rider mâchonnait un de ces havanes dont il semblait avoir une provision inépuisable. Eliphantis débarrassait de la nicotine son fume-cigarette d'ébène avec autant de délicatesse qu'un peintre donnant avec un long pinceau la touche finale à son chef-d'œuvre.

— Venez prendre un verre! m'enjoignit Rider comme j'abordais la véranda.

— Comment pouvez-vous vivre dans ce tintamarre? me demanda Eliphantis, parlant du grondement du monstre qui, venant de l'est, traversait la jungle.

— On s'y habitue.

Des moustiques fredonnaient, la nuit tombait.

De la baraque radio, qui formait une des extrémités de la véranda, j'entendis Barbara Farrell parler dans le micro du poste de radiotéléphone.

— Ici « Indian » à Fyzabad. Je vous écoute.

— Ça y est, dis-je, et je me dirigeai vers la baraque.

La voix de Rhona Beckwith me parvenait très clairement, par téléphone de Buenos Aires via Caracas à Port of Spain et, de là, par radio.

— Hello, chéri, dit-elle.

— Hello!

Je relâchai le bouton de transmission.

— Toujours envie de moi?

— Oui...

J'espérais que l'atmosphère ne transmettait pas la note hésitante.

— Moi, j'ai toujours envie de vous, insista-t-elle.

Je me tus un instant, conscient de la présence de Rider et d'Eliphantis qui m'avaient suivi et écoutaient, et de celle de Barbara Farrell, dans la pièce contiguë, qui faisait mine de ne rien entendre.

— Bon, dis-je pitoyablement.

— Je ne peux pas revenir à Trinidad.

— Non, vous ne le pouvez pas.

Un silence.

— Vous savez pourquoi?

— Oui, je le sais.

Nouveau silence, puis :

— Voulez-vous venir me rejoindre?

Ebahi, je me détournai et regardai Rider : il hochait furieusement la tête : oui, oui, allez la retrouver.

Saisi de panique comme si l'univers accélérait son mouvement et me laissait à la traîne, moi cherchant un moyen pour l'arrêter un instant afin de pouvoir le rattraper, je dis dans le micro :

— Chérie, j'ai un contrat avec cette compagnie. Ça

ne me coûterait pas loin de trois mille dollars de le rompre.

— Prenez vos vacances, me conseilla-t-elle. (Puis elle ajouta, une pointe de gaieté dans la voix :) Parlez-en à votre ami Rider, je suis sûr qu'il comprendra.

Je regardai de nouveau Rider. Il jetait un œil furieux sur le haut-parleur d'où sortait la voix. Eliphantis avait l'air songeur et garnissait son fume-cigarette.

— Vous savez sous quelles conditions Rider me libérerait? dis-je dans le micro.

— Lesquelles?

— Il exigerait de m'accompagner. Ou que je le conduise à vous.

— Dites à Mr Rider que, s'il n'intervient pas actuellement, s'il vous laisse me rejoindre et n'essaie ni de vous suivre ni de vous faire suivre, ce sera tout à son avantage.

J'étais assis là, suant, tirant sur ma cigarette, écoutant les grésillements du haut-parleur. Je n'avais pas la moindre idée de ce qui se passait, mais j'avais l'impression d'être une balle de ping-pong que se jetaient et se renvoyaient la fille de Buenos Aires et Rider, planté juste derrière moi.

— Jim? demanda Rhona.

— Oui.

— Il y a un avion demain matin à sept heures et demie. Il vous mettra ici quelques minutes après une heure. Voulez-vous venir?

— Oui, grogna Rider derrière moi.

Je fis une profonde inspiration et déclarai dans le micro :

— Oui, je viendrai.

Puis, à bout de forces, je fermai le poste. Rider me rappela à la réalité.

— Jim, toute cette affaire repose sur vous. Nous devons faire comme elle dit, ne pas vous suivre, ne pas vous faire suivre.

Je hochai la tête.

— Donc, Eliot et moi arriverons par un autre avion, plus tard dans la journée. Nous descendrons au *Rio de La Plata*. Vous devrez nous y contacter. De toute façon, vous devrez vous débrouiller pour vous mettre en rapport avec nous.

— Il y a quelque chose que je ne comprends pas, dis-je.

— Quoi donc?

— Si elle n'a voulu que me mener en bateau, l'autre nuit, pourquoi me demande-t-elle de la rejoindre?

— Peut-être que tout n'était pas combiné, peut-être que vous lui plaisez un peu, ironisa Rider.

— Ou peut-être, avançai-je, que, comme je suis le seul témoin pouvant établir un lien entre elle et le cadavre de la forêt, peut-être qu'elle veut faire de moi aussi un cadavre.

Rider écarta l'idée d'un grand geste accompagné d'un petit rire.

— Si ces femmes voulaient vous supprimer, mon vieux, elles l'auraient fait l'autre soir.

— Mais n'avez-vous pas remarqué qu'elle m'a invité à la rejoindre après avoir compris que j'étais au courant de... de cette histoire Martinez?

Rider me regardait, amusé et étonné.

— Vous n'avez quand même pas peur d'une aveugle et d'une femmelette?

— Elles ont eu Martinez.

— Parce qu'il ne s'y attendait pas. Elles l'ont eu par surprise, je le parie.

— Elles l'ont fait causer d'abord, soulignai-je, donc, il devait savoir qu'il y avait anguille sous roche.

— Bon, concéda généreusement Rider... Je vous accorde qu'il y a une possibilité qu'elle vous demande de la rejoindre là-bas pour vous estourbir... Mais accordez-moi l'autre possibilité.

— Laquelle?

— Elle vous veut là-bas... pour vous-même.

— Ne me balancez pas de carotte devant le museau, Mr Rider.

— Ce n'est pas une carotte! protesta-t-il. (Puis il ajouta :) — Okay. Je ne vous contrains pas à faire ça, Jim. Je vous le demande comme un service. Si vous ne voulez pas le faire, ne le faites pas. Je ne vous en tiendrai pas rancune et je vous assure qu'il n'y aura aucune récrimination professionnelle contre vous au sein de la compagnie.

— Merci.

— Il y a un autre aspect au problème, Mr Dockery, intervint Eliphantis. Cette fille a couru un risque énorme en vous demandant de la rejoindre. Vous êtes un témoin à charge contre elle dans le meurtre de Martinez, mais tant que personne ne sait où elle est, vous n'êtes pratiquement pas dangereux pour elle. Et voilà qu'elle vous donne l'occasion de la dénoncer. Vous pourriez arriver là-bas accompagné de policiers et d'une demande d'extradition. Elle doit avoir envisagé cette possibilité.

— Nous pourrions parler de possibilités toute la

nuit! Et je ne crois pas que nous cernerions de plus près que maintenant la vraie raison pour laquelle elle me veut là-bas.

— Alors? demanda Rider.

— Alors, je suis curieux de nature. Je vous rendrai le service demandé.

Il souriait ironiquement comme s'il avait su dès le début que je lui accorderais ce foutu service.

CHAPITRE IV

A Buenos Aires, c'était l'hiver. Un froid sec m'accueillit à l'aéroport d'Ezeiva, au sortir du DC - 9 qui m'avait amené de Trinidad. Les démarches réglementaires accomplies, j'arrivais dans la salle des pas perdus quand un jeune homme s'approcha de moi et me demanda si j'étais Mr Dockery. Il était blond, hâlé et portait d'énormes lunettes de soleil.

— Oui, c'est bien moi.

Il se présenta :

— Franz von Zarnow, je suis un ami de Rhona Beckwith.

— Les amis de Rhona... formulai-je en lui tendant la main.

Il ne la prit pas.

— Ma voiture est là, devant l'aérogare, me dit-il.

Puis il se détourna et se dirigea vers la sortie. Je le suivis. Plutôt arrogant, l'animal! Mais que pouvais-je faire d'autre?

— Comment m'avez-vous identifié? lui demandai-je.

— Je vous connaissais, répondit-il en haussant les épaules.

Il parlait d'une voix artificielle, avec un accent américain affecté qui n'arrivait pas à masquer l'intonation allemande.

Une Lamborghini Miura accroupie sur ses quatre énormes roues étincelantes, reposait sur le ciment blanc tel un léopard prêt à bondir. Je jetai ma valise à l'arrière et m'installai sur le siège avant, la nuque sur un coussin appuie-tête.

Le gars conduisait avec des moufles de peau, ce qui prouvait bien qu'il n'était pas seulement un petit péteux, mais tordu de snobisme.

L'aéroport est au sud de la ville et, autant que je pouvais en juger, nous roulions en direction du nord-ouest. Il y avait de vastes étendues de banlieue triste, dominées par endroits par de hauts pâtés d'immeubles. Certains de ces blocs étaient à peine commencés et ne montraient pour l'instant que des squelettes métalliques. D'autres n'étaient qu'à demi achevés, mais déjà occupés.

— Ils ne laissent même pas au béton le temps de durcir avant de s'y installer, dit Zarnow. Ces pâtés d'immeubles sont une tentative, mais vaine, pour supprimer les taudis. On ne peut pas changer ces gens en changeant leurs habitations. Ils ont la crasse dans le sang et on ne peut pas changer leur sang. La seule solution à ce problème est de les embarquer tous sur un bateau, qu'on emmènerait au milieu de l'Atlantique et là de le couler. Il suffira ensuite de ne pas manger de poisson pendant un an ou deux.

« C'est, pensai-je, ce qu'on pourrait appeler la solution finale. »

Au nord, la ville se profilait sur l'horizon, silhouette bleue embrumée contre un ciel voilé. Mais nous ne semblions pas nous diriger vers le centre.

— Où allons-nous? demandai-je.

— Vous êtes, tout comme Frau von Thallin et Fraülein Beckwith, les invités de mon oncle, dans sa villa de San Isidro. C'est là que nous allons. Mon oncle est le colonel baron von Zarnow.

Colonel baron! Bon sang il ne me manquait que ça! Il avait probablement émigré en Argentine vers 1945... pour raisons de santé. On m'avait dit que toute une colonie d'ex-nazis vivait ici. La plupart avaient réussi à quitter l'Europe de justesse avant d'être traduits devant les tribunaux pour crimes de guerre. Que diable allais-je faire dans cette galère?

— Vous n'avez pas été suivi? interrogea le garçon en regardant dans son rétroviseur.

— Non.

— Bien.

— Vous permettez que je fume?

Il fit la grimace, mais répondit :

— Pour autant que vous vous serviez du cendrier...

Les quartiers que nous traversions devenaient plus salubres. Je demandai :

— Qu'auriez-vous fait si j'avais été suivi?

Un sourire plissa les coins de la bouche aux lèvres minces. Il écrasa du pied droit la pédale, et la Lambo, qui roulait à peu près à 120, accéléra brusquement. A 190, le gars passa la cinquième vitesse et l'aiguille du compteur monta jusqu'à 260, plus haut peut-être... Je fermai un instant les yeux. Nous foncions le long d'une large route à quatre voies bordée d'un côté d'un parc public et de l'autre de maisons disséminées au milieu d'arbres. Il n'y avait pas beaucoup de circulation. Jamais je n'avais avancé aussi vite à ras du sol ni tenté de le faire. J'avais compris la muette réponse : qui nous aurait suivi, à moins d'être au volant d'une voiture de course de formule 1, n'aurait pas tardé à perdre notre trace.

Sa démonstration faite, le garçon ralentit et se décontracta.

— Voilà ce que j'aurais fait, déclara-t-il, sûr comme un coq et sec comme un pet de sorcière.

— Ça ne vous aurait pas servi à grand-chose. Ils auraient relevé votre numéro et vous auraient ainsi repéré.

— Au fait, qui êtes-vous, Dockery?

Je le regardai. Nous étions redescendus à 120 environ.

— J.D. Dockery. Pourquoi?

— Pourquoi veut-elle votre présence ici?

— Qui?

— Helga! aboya-t-il, donnant au mot une intonation sinistre.

— Qu'est-ce qui vous laisse penser que c'est Helga qui désire ma présence?

— Si Helga ne le voulait pas, vous ne seriez pas ici.

— Vraiment?

Et pour l'embêter un peu ma cendre tomba à côté du cendrier.

La route courait à présent le long du large delta jaune et boueux du Rio de La Plata. Les quartiers étaient plus riches, les voitures plus luxueuses et les femmes qu'on apercevait plus sexies de minute en minute. Nous arrivions à San Isidro.

De la route, on ne voyait pas la maison du baron Otto. Nous passâmes entre les deux piliers de pierre géants d'un portail et suivîmes un chemin goudronné bordé d'une haie bien taillée, d'un gazon où poussaient quelques palmiers et qu'arrosait un tourniquet dont l'eau en pluie brillait au pâle soleil d'hiver. En haut de la longue allée, derrière un écran de grands et vieux chênes, se dressaient la maison et ses dépendances. Au nord se déployait une vue qui s'étendait sur des kilomètres de verdure jusqu'à la Plata. Le baron Otto pouvait avoir dû quitter précipitamment son pays, mais il avait eu le temps d'empocher ses cartes de crédit.

L'auto contourna la grande maison blanche jusqu'à l'arrière où se trouvaient une vaste terrasse et une piscine, abritée du vent, au bord de laquelle un certain nombre de beautés en bikinis luisantes d'huile solaire, étaient étendues. Deux d'entre elles étaient au bout du bassin, près du plongeoir, deux autres à l'extrémité la plus éloignée de l'endroit où la Lambo nous avait déposés ma mallette et moi. Ces deux dernières étaient Helga von Thallin et Rhona Beckwith. A côté des matelas de plage sur lesquels elles étaient allongées, un homme se tenait debout; une troisième femme était affalée sur un divan garni de tapis. Un domestique en veste blanche opérait derrière un bar réfrigéré roulant, parqué à une certaine distance.

Au moment où je descendais de voiture, Rhona s'assit et dirigea sur moi d'énormes lunettes solaires. Puis elle quitta son matelas et courut à ma rencontre. Ses pieds nus frappaient les dalles et sa peau étincelait comme un métal. Puis elle fut tout contre moi, les bras autour de mon cou.

— Merci d'être venu, me dit-elle.

Je l'écartai de moi. Je n'étais pas sûr de mes émotions et moins sûr encore des siennes.

— Ce n'est rien, dis-je.

Elle sourit et prit ma main.

— Venez dire bonjour à Helga.

Appuyée sur un matelas fleuri, Helga portait un strict costume de bain noir et un foulard blanc autour de la tête. Ses inévitables verres noirs cachaient les orbites de ses yeux. Ses jambes, que j'avais admirées dans le hall de l'aéroport de Trinidad, étaient aussi parfaites que je les avais imaginées.

— Frau von Thallin, dis-je en m'inclinant.

— J'espère que vous avez fait un agréable voyage, répondit-elle.

L'homme planté à côté d'elle était vieux et attifé de la façon chère aux riches invités lors d'une réception sur un yacht, dans le port de Nice. Mais c'était un vieil homme robuste, sec, dur, dont les yeux me regardaient comme deux pointes d'acier affilées. Un œil portait monocle et la joue gauche s'ornait d'une cicatrice du type « balafre de duel ». Il était l'un des derniers de son espèce, un hobereau et un militaire, et quand Rhona me présenta à lui, par habitude, le torse se cassa très bas tandis que les talons claquaient.

La femme assise sur le divan était âgée et flétrie, en robe de dentelle et satin noir avec des tas de perles au cou. C'était la baronne Eva von Zarnow, l'épouse d'Otto, j'appris par la suite qu'elle avait été autrefois la plus jolie femme de Berlin.

Les deux poulettes qui portaient de minuscules bikinis et d'immenses coiffures vulgaires du genre pièces montées, causaient près du plongeoir avec Franz von Zarnow. Mais ils étaient loin de nous et ne pouvaient nous entendre. Les poulettes étaient les filles d'amis d'Otto qui vivaient à la campagne et elles étaient venues à une réception qui devait avoir lieu le soir quelque part à Buenos Aires.

— Avez-vous eu du plaisir à votre séjour à Trinidad? demandai-je à Helga.

— Il a été fructueux, répondit-elle avec calme.

— Pas pour Mr Martinez.

— La vie est une course, Mr Dockery, et dans les compétitions il y a toujours des perdants.

— Oui... Mais peut-être cette course particulière n'est-elle pas terminée?

Elle sourit et hocha la tête.

— Vous avez raison, bien sûr. Mr Martinez n'était qu'un premier obstacle.

— Jim, me dit Rhona, je voudrais vous parler, seul.

Je la regardai silencieusement un instant. Elle me prit de nouveau par la main et dit à Helga :

— Excuse-nous.

— Vous êtes excusés, dit la femme d'une voix sans timbre.

Après avoir quitté la terrasse, nous descendîmes une pente gazonnée.

— Au sujet de Mr Martinez... commença Rhona.

— Non, Rhona, dites-moi plutôt pourquoi je suis ici?

Elle fronça les sourcils.

— Vous ne le savez pas?

— Non. Je sais seulement que notre nuit à Trinidad était une duperie pour m'empêcher de lâcher dans la mauvaise oreille que je vous avais rencontrées sur la route de Fyzabad, et que votre voiture était embourbée dans la brousse. Il fallait vous donner le temps de quitter l'île. En venant, Franz von Zarnow m'a déclaré que je ne serais pas là si Helga ne l'avait pas voulu... Pourquoi, chérie? Pourquoi Helga me veut-elle?

Je m'arrêtai pour allumer une cigarette.

D'être resté si longtemps immobile dans l'avion mon mauvais genou me faisait un mal de chien.

Rhona se tenait devant moi, la colère montait en elle.

— Si vous croyez ça, Jim, pourquoi êtes-vous venu?

— Je suis curieux.

— Très bien. Je reconnais que, l'autre nuit, pour commencer c'était de la frime. Mais la comédie s'est terminée sur la plage de Dos Puntas. Je ne trichais plus quand je vous ai promis que je vous téléphonerais. Vous êtes ici seulement parce que je vous voulais. Pour aucune autre raison.

Elle devait me dire la vérité. Tout au moins devais-je lui accorder le bénéfice du doute, car je n'avais pas d'autres arguments à lui opposer.

— Bon, dis-je.

— Vous me croyez?

Je hochai affirmativement la tête.

— Vous me faites confiance, à présent?

Je regardai son visage, ses yeux qui avaient maintenant le vert sombre des eaux profondes.

— Je vous ai fait confiance, reprit-elle, probablement au prix de ma vie. Vous en rendez-vous compte? Si j'avais eu le moindre doute sur vous, je ne vous aurais pas fait venir ici : vous pouviez vous faire accompagner de la police.

— Alors... Martinez?

— Il y a une raison pour laquelle Martinez devait mourir. Et ce n'est pas celle que vous croyez.

— Qu'est-ce que je crois?

— Vous pensez que Helga veut la statue.

— Et elle ne la veut pas?

— Votre ami, Mr Rider, croit cela aussi, je suppose?

— Que voulez-vous qu'il pense d'autre?

Alors, sans la moindre gêne, elle me demanda, comme si elle s'attendait à ce que je lui réponde avec précision :

— Combien Rider offre-t-il pour la statue?

Je me contentai de la dévisager, ahuri.

— Voulez-vous que je vous le dise? Dix millions de dollars...

Elle souriait avec ironie. Je lâchai ma cigarette et l'enfonçai dans le sol à coups de talon.

— Dix millions de dollars, eh ben!

— Je ne plaisante pas. Dix millions. Deux en petites coupures usagées; quatre en propriétés immobilières aux Bahamas. Le reste en valeurs aux porteurs cotées en bourse.

— Dix millions? Pour une statue?

J'en avais le souffle coupé!

— Si vous avez peine à le croire, c'est que visiblement vous ne comprenez pas de quelle statue il s'agit ni quelle est la situation du marché de l'art. Souvenez-vous que *la Joconde* a été assurée pour cinq millions de dollars quand elle a été expédiée du Louvre à New York et encore c'était il y a plusieurs années. Aujourd'hui, je ne crois pas que la France laisserait voyager Mona Lisa sans une assurance de vingt millions de dollars. Croyez-moi, chéri, dix millions pour cette statue n'est pas une somme invraisemblable. A une vente aux enchères publiques, chez

Christie ou Sotheby, elle monterait probablement jusqu'à quinze millions.

Après tout, c'était possible, Rider m'avait bien dit que son offre comprenait huit chiffres et que son consortium était composé de gens immensément riches. Ce devaient être de ces types qui achètent un sous-marin à leur gosse pour Noël et remplissent leur piscine de champagne.

— D'où tenez-vous tous ces renseignements? Les avez-vous extorqués à Martinez avant de l'estourbir?

— Ne soyez donc pas ridicule, chéri. Martinez n'était qu'un messager, un agent occasionnel chargé de rencontrer Rider et Eliphantis à Port of Spain et de les amener ici. Il n'était que le premier maillon de la chaîne.

— Qu'était-il censé faire des deux hommes après les avoir amenés?

— Les remettre à un autre guide. Un dénommé Enrico Carvolth qui était, lui, le deuxième maillon.

— Vous avez rencontré ce Carvolth et lui avez infligé le même traitement qu'à Martinez, je suppose!

Elle leva les yeux sur moi et répondit d'une voix douce :

— Oui... Et maintenant nous disposons du troisième maillon de la chaîne.

— Et c'est?

— Je ne peux pas vous le dire, voyons.

Je regardais son long corps doré, presque nu sous le soleil, ses pieds pâles et fins sur l'herbe verte. Nous n'étions plus abrités par la maison à présent et le vent mordait. Rhona commençait à avoir la chair de poule.

— Si Helga ne recherche pas la statue, qui donc la veut?

— Helga vous le dira elle-même... Si elle désire que vous le sachiez.

— Bon, mais dites-moi une chose, Rhona. Que diable avez-vous à voir dans tout ça? Pourquoi y êtes-vous mêlée. Est-ce que Helga a prise sur vous? Est-ce à cause de cette histoire d'homosexualité?

Elle me regarda de nouveau, le visage impassible.

— Oui, vous pourriez croire que c'est à cause de cette histoire d'homosexualité.

Mon genou n'en voulait plus. Je m'assis sur l'herbe et pris une autre cigarette. Rhona était debout, les yeux baissés sur moi. Ses jambes étaient longues, délicates, admirables. Puis elle se laissa tomber sur les genoux, entre mes jambes, se glissa contre moi et approcha ma tête de sa poitrine : mes lèvres étaient entre ses seins. Elle murmura, très lentement :

— James Damien Dockery, je vous aime.

— Si c'est vrai, ne m'appelez pas Damien.

*
* *

Ce soir-là, Rhona vint dans ma chambre de la villa d'Otto von Zarnow. Elle portait une robe de cocktail jaune, dont le drapé, retenu sur une épaule par un clip d'émeraudes, flottait ensuite sur la poitrine et s'arrêtait juste en haut des cuisses. Son corps était très bronzé, ses lèvres très fardées et ses grands yeux assombris par des cils artificiels.

— Venez avec moi, me dit-elle.

Je la suivis à travers le hall dans la chambre-salon qu'elle partageait avec Helga von Thallin. Cette histoire des relations entre Rhona et Helga commençait à m'ennuyer un peu... mais, en ce moment, j'étais plus ennuyé de l'autre histoire... celle des meurtres.

L'aveugle ne s'était pas encore vêtue. Elle était assise dans un petit fauteuil, près de la porte-fenêtre, face au crépuscule qui descendait sur l'immense parc dont le vieil Otto s'était entouré. Les cheveux blonds d'Helga étaient retenus sur la nuque par un ruban de velours noir et elle portait un long déshabillé noir, assez transparent, qui lui descendait aux chevilles et s'écartait pour laisser voir ses jambes nues, croisées. Je fus frappé par le charme et la sérénité de cette femme, assise là, silencieuse et solitaire, dans le crépuscule. Sans se détourner, elle me dit :

— Asseyez-vous, Mr Dockery.

Je suis un de ces pauvres imbéciles maladroits qui ont besoin d'un corral pour se mouvoir à leur aise. Dans une pièce comme celle-ci, une pièce féminine, toute pleine de dentelles, de volants, de porcelaines, de glaces, de drôles de petites lampes, je vis dans la perpétuelle terreur de flanquer par terre un objet fragile. Je m'assis prudemment sur un étroit canapé en face d'Helga.

— Un verre? me proposa Rhona.

— Un scotch, s'il vous plaît.

Elle m'apporta mon verre, puis s'assit à côté de moi sur le canapé. Helga prit la parole.

— Rhona m'a demandé de vous parler un peu de moi et de vous dire ce que nous faisons ici toutes les deux.

Je ne dis mot, me contentant de boire mon whisky.

— Je le ferai donc... Ce n'est pas une très jolie histoire, mais autant que vous la connaissiez. Elle commence pendant la guerre. J'avais seize ans quand j'épousai Erich von Thallin, colonel du *Schutzstaffe*, autrement dit du S.S.

Les doigts de Helga tremblaient tandis qu'ils caressaient le verre de Martini que Rhona lui avait donné. Dans le lointain, un chien aboyait.

— Je vivais avec lui dans sa maison familiale, près de Coblence. C'était une magnifique demeure, un château, et je n'étais pas aveugle à l'époque. Il y avait beaucoup de très belles choses dans cette maison et, à cause de la guerre et des bombardements, on avait mis les plus précieuses à l'abri dans un souterrain voûté très profond. Parmi ces pièces rares se trouvait la statue connue sous le nom de « Vénus enchaînée ».

Elle avala une gorgée et fit un effort visible pour continuer son récit.

— Le grand-père de mon mari avait été l'associé de Heinrich Schliemann, dont vous avez peut-être entendu parler — c'est lui qui a découvert les ruines de Troie, à Hissarlik, en Turquie et le palais d'Agamemnon à Mycène. Ce grand-père, Leopold von Thallin, a été associé au nom de Schliemann pour ces fouilles. Au cours de l'une d'elles, il a découvert par hasard une indication sur le lieu où se trouvait la statue « Vénus enchaînée » que tous les archéologues antérieurs jugeaient irrémédiablement perdue ou détruite. Dans un tombeau, à Mycène, il trouva un rouleau de papyrus et réussit à le recopier avant qu'il ne tombe en poussière. Un des passages disait qu'un certain Menelisces de Cos, revenant de la guerre de Troie, rapportait dans son butin une statue d'Hélène représentée en Vénus enchaînée. Il mourut et fut enterré à Sounion, sous un rocher, non loin du temple de Poséidon. Ses compagnons enterrèrent à côté de lui la statue pour laquelle il s'était pris d'une véritable passion.

Helga but une nouvelle gorgée et demanda :

— Cela sonne très romanesque, n'est-ce pas?

— C'est très intéressant.

— A Sounion, à deux kilomètres du temple en ruine, se trouve, en effet, un rocher; Leopold von Thallin se rendit là-bas, creusa le terrain autour du rocher, secrètement — c'est-à-dire sans l'autorisation du gouvernement grec. Il découvrit la tombe de Menelisces de Cos et de sa statue. Elle était entourée de feuilles d'or, hermétiquement closes et donc en parfait état de conservation, son marbre aussi frais que le jour où il avait quitté l'atelier du sculpteur. Leopold ne parla à personne de cette découverte fantastique, sortit la statue en fraude de Grèce et la ramena en Allemagne, au château de Thallin. Il ne dit jamais mot de sa trouvaille. Je pense que, tout comme Menelisces de Cos, il était tombé amoureux d'elle et ne supportait pas l'idée de la partager avec le monde entier. L'existence de la statue resta donc un secret connu des seuls membres de la famille et de quelques amis sûrs. Mon mari l'aurait, je crois, offerte à un musée. Il m'a dit souvent que c'était un crime contre l'humanité de dissimuler ainsi cet inestimable trésor. L'ironie des choses a voulu que lui-même fût exécuté à Nuremberg pour crimes contre l'humanité, précisément. Il n'a ainsi jamais eu l'occasion de réparer l'erreur de son grand-père.

— Un autre whisky? me demanda Rhona.

Je regardai mon verre. Je ne m'étais pas rendu compte qu'il était vide. Je hochai la tête et le tendis à Rhona.

— Et toi, Helga?

L'aveugle leva son verre, Rhona le prit et se dirigea

vers le guéridon où se trouvaient les alcools, tandis que Helga continuait :

— Nous étions mariés depuis quelques semaines quand mon mari partit pour la guerre, me laissant seule dans cette grande demeure. Je ne l'ai jamais revu.

« Puis, les Américains sont arrivés à Coblence. Une section dirigée par un sergent est venue au château. Le sergent s'appelait Eugene Fellender.

La respiration de Helga était oppressée.

— J'ai couché avec lui, murmura-t-elle. Il m'y a contrainte sous la menace de son revolver, et je l'ai fait pendant que ses hommes soûls saccageaient cette magnifique maison, arrachant et cassant tout, foulant aux pieds des merveilles, vomissant partout de la cave au grenier. Plus tard, Fellender me fit descendre. Les soldats étaient dans la cuisine, ivres, certains complètement inconscients. On entendit un bruit violent et la maison trembla. Ils s'étaient servis d'explosifs pour faire sauter l'entrée de la voûte. Ils ont apporté la statue dans la cuisine et l'ont posée sur la grande table. J'ai dû me mettre à côté d'elle, nue comme elle, afin qu'ils puissent nous comparer.

Je regardai Rhona. Elle était livide, les mâchoires serrées, les yeux brillant d'impatience. Elle ne voulait pas que Helga arrêtât là son récit. Elle voulait que j'en connaisse chaque détail bestial, chaque geste répugnant...

Avec un calme et une objectivité surprenants, Rhona reprit elle-même le fil du récit.

— Ils ont attaché Helga sur la table, se sont placés en file et l'ont violée l'un après l'autre. Ils l'ont brûlée avec des cigares et des cigarettes, écorchée avec la pointe de leurs baïonnettes. Ils ont versé de l'alcool à brûler sur les poils de son pubis et y ont mis le feu. Et la dernière chose que Helga a vue sur cette terre, c'est le visage dément du sergent Fellender qui, tandis que ses soldats tenaient à Helga les paupières écartées, lui appliquait sur les yeux l'extrémité de son cigare.

J'avalai une forte rasade de scotch.

Helga reprit.

— L'argent et les meilleurs chirurgiens du monde ont réussi à redonner forme à mon corps, Mr Dockery, en tout cas ils me l'ont dit. Mais personne n'a pu me redonner la vue.

Rhona m'apporta un autre whisky. Je buvais pas mal, mais j'en avais besoin. Je dis à Helga :

— Je suppose que ce Fellender et sa bande ont ensuite décampé avec la statue?

— Oui. Quand la police militaire est arrivée au château, elle ne trouva plus que cinq hommes de la section de Fellender. Le sergent lui-même avait disparu avec quatre autres, tout comme la statue. Ils ont dû réussir on ne sait comment à changer de nom, à se procurer de nouveaux papiers d'identité, probablement de nouvelles nationalités et à quitter l'Europe avec la statue.

— Et vous avez la quasi-certitude que c'est ce Fellender qui veut actuellement vendre la statue?

— Oui, la quasi-certitude.

— Comment savez-vous s'il ne l'a pas vendue depuis longtemps? Et si ce n'est pas le cas, pourquoi ne l'a-t-il pas fait?

Elle sourit. Elle était plus calme à présent.

Elle quitta son siège et, pieds nus, son corps blanc

transparaissant sous la dentelle de son déshabillé, elle arpenta avec grâce de long en large le tapis persan.

— En 1953, j'ai reçu à Londres la visite d'un certain Léon Turkel... C'est un sculpteur et un faussaire de génie. Il a reproduit des chefs-d'œuvre de la Renaissance et les a vendus comme originaux à des experts. On avait appris que la Vénus enchaînée avait disparu au cours de la guerre. Elle figurait sur une liste largement diffusée d'objets d'art manquants. Ce Turkel avait découvert que cette statue avait été ma propriété et il me proposa de me faire une Vénus enchaînée dont nous serions les seuls, lui et moi, à savoir qu'elle était un faux.

— Pourquoi voulait-il faire ça?

Elle haussa les épaules.

— Tout ce qu'il voulait, c'était cinq mille livres et un atelier dans ma maison, le temps qu'il lui faudrait. C'était sans détour! Peut-être avait-il simplement besoin de cinq mille livres... J'acceptai et il se mit au travail. Il passa de longs mois à étudier toutes les photographies de la statue que je possédais, toutes les notes, toutes les mesures prises par Leopold von Thallin et qui relataient des détails infinitésimaux. Je suppose que Turkel a tout fait photocopier. Puis, un beau matin, il n'était plus là. J'ai engagé des détectives privés. Ils ont retrouvé sa trace à New York, puis aux Bahamas. A Nassau, ils l'ont perdu. Il avait loué un yacht qui avait ostensiblement appareillé pour le Venezuela mais n'y était jamais arrivé. Toutefois nous avons réussi à découvrir le propriétaire du yacht. C'était Mr Eliot Eliphantis de New York.

» J'ai donc décidé de m'intéresser discrètement aux affaires de Mr Eliphantis. Il y a des maisons spécialisées dans ce genre de renseignement. On appelle ça l'espionnage industriel, je crois. Au bout d'un certain temps, nous avons pu entrer en rapport avec un membre du personnel d'Eliphantis, une femme qui a accès aux dossiers. Pendant des années, cette femme m'a procuré la photocopie de toutes les pièces qu'Eliphantis recevait concernant la Vénus enchaînée. Mais très récemment, des incidents troublants se sont produits.

— C'est-à-dire?

— Rappelez-vous que Turkel est venu me voir en 1953... Le dossier d'Eliphantis concernant la statue a été ouvert en 1947, juste deux ans après le vol. En 1947, Eliphantis a fait un voyage à Nassau et c'est en rentrant à New York qu'il a constitué un dossier avec pour seules pièces deux photographies de la statue, une de face, l'autre de dos. Il n'y a rien eu d'autre jusqu'à l'affaire Léon Turkel...

— Il semblerait donc qu'Eliphantis, appuyé sur des documents authentiques, ait entrepris de monter une combine, pour soutirer dix millions de dollars à une andouille du genre de Rider, dis-je.

— On aurait pu l'imaginer. Mais je ne le crois pas. Eliphantis risquerait de perdre beaucoup plus de dix millions de dollars en s'acoquinant avec des faussaires. Et puis, d'où tenait-il les deux photos de l'original?

— Que s'est-il passé ensuite?

— Rien jusqu'à l'an dernier où, après un nouveau voyage à Nassau, Eliphantis s'est mis à informer discrètement les collectionneurs des Etats-Unis qu'il agissait au nom d'un homme disposé à examiner les propositions d'achat qu'on lui ferait pour cette statue. J'ai été mise au courant en l'espace de quelques heures de l'offre de Rider, de l'agrément du vendeur et des dispositions prises par lui pour que Rider voie la statue. Il devait, en compagnie d'Eliphantis, rencontrer un certain Martinez à l'hôtel *Barcelona*, à Port of Spain, Trinidad, à telle et telle date.

D'un coin éloigné de la grande villa nous parvint le son du gong annonçant le dîner.

— Il faut que je m'habille, dit Helga. Puis s'adressant à Rhona : Où sont mes vêtements, chérie?

— Je vais te les donner.

Rhona sortit différentes pièces des tiroirs et de la penderie et les porta derrière un paravent qui se trouvait dans un angle de la pièce. Helga y disparut et se mit à s'habiller tout en continuant de parler.

— Au début, j'ai simplement résolu de suivre Rider et Eliphantis. Puis, j'ai compris que le but de cet étrange arrangement — rencontre de gens dans des endroits écartés d'où on les dirigerait sur d'autres — avait pour but d'égarer tout éventuel poursuivant. Je suis certaine que si je m'étais contentée d'essayer de les suivre, je ne serais pas allée très loin. Ils auraient réussi à me semer. J'ai donc pris la décision de rencontrer la première Mr Martinez. Et je crois que c'est là que vous apparaissez, Mr Dockery.

— Mais ne pensez-vous pas que la statue qu'on se propose de vendre est presque certainement une copie, due au faussaire qui est venu vous voir simplement pour vous soutirer tous les éléments dont il avait besoin pour exécuter son travail?

— On pourrait le penser, si Rider et Eliphantis ne s'intéressaient pas à la statue.

Helga était déjà habillée, d'un simple fourreau blanc,

qui lui avait certainement coûté six mille francs chez Chanel ou autre Dior.

— Eliphantis est un homme très étrange. Au cours des ans, bien que je ne l'aie jamais rencontré, j'ai appris à le connaître. Il est universellement reconnu comme le meilleur expert en sculptures grecques. L'art est son seul et unique dieu. Pour lui, toute contrefaçon est un sacrilège. Il n'associerait jamais son nom à un faux. Qu'il s'agisse d'une pièce volée, à la bonne heure... pourvu qu'elle soit authentique. Je suis donc arrivée à la conclusion suivante : à part deux mentions faites par des historiens de l'Antiquité on ne sait rien de cette statue. Ses dimensions sont inconnues. Personne ne l'a vue qui ait pu la décrire. Quand on a demandé à Eliphantis d'agir au nom du vendeur. il n'avait que deux photographies. Cela pouvait donc être un faux et c'est la raison pour laquelle Eliphantis a été immédiatement inquiet.

Rhona maquillait Helga : un nuage de poudre, un peu de rouge sur les lèvres.

— Alors, pourquoi avoir attendu vingt-cinq ans pour vendre cette statue? demandai-je.

— C'est là une question à laquelle je ne peux absolument pas répondre.

Je poussai un profond soupir avant de parler à nouveau :

— Quand vous arriverez au bout de ce que vous appelez la chaîne — Martinez, Carvolth, le prochain maillon et puis le suivant — que comptez-vous faire?

Sa bouche se tordit en une atroce grimace.

— Vous ne vous en doutez pas, Mr Dockery? J'ai l'intention d'exécuter le salaud qui m'a torturée et m'a condamnée à vivre jusqu'à mon dernier jour dans l'obscurité.

— Vous dites cela comme s'il s'agissait d'un acte de justice.

— Et ça n'en est pas un?

— Ça me paraît plutôt une vengeance.

— Ces salopards ne méritent pas la justice, dit Rhona d'une voix douce.

Lorsque Helga avait subi ces horribles traitements, Rhona n'était qu'un bébé dans les langes, peut-être même n'était-elle pas née. Je me demandais pourquoi cette ravissante jeune femme s'associait à présent si intimement au terrible passé de l'autre et à cette folle revanche qu'elle voulait prendre.

Helga était debout et me souriait. Elle me tendit le bras :

— Si nous descendions? Je crois avoir entendu le gong du dîner.

Sur le grand escalier qui nous menait au rez-de-chaussée, elle me dit :

— Vos amis Rider et Eliphantis sont arrivés en fin d'après-midi. Ils sont descendus à l'hôtel *Rio de la Plata*.

— Intéressant...

— Quelles sont les conditions posées par Rider pour vous dégager de votre contrat, Mr Dockery?

— Ne le devinez-vous pas?

— Que vous l'informiez à la première occasion de mes faits et gestes, je suppose?

— C'est ça.

— Le ferez-vous?

— Je n'en sais rien. Je n'y ai pas encore réfléchi.

— Je vous épargnerai cette peine. Je voudrais que,

demain matin, vous descendiez en ville et que vous preniez rendez-vous pour moi avec Rider dans l'après-midi. Acceptez-vous?

— Pourquoi pas. Mais je pense qu'il pourrait insister pour vous rencontrer dans un endroit pas trop discret.

Quand nous entrâmes dans la salle à manger, Helga souriait.

CHAPITRE V

Les deux femmes avaient intercepté Mr Martinez à Port of Spain et l'avaient fait parler en lui injectant une drogue genre sérum de vérité — laquelle? Rhona ne le spécifia pas. Elles s'en étaient servies également pour Carvolth. Quand elles avaient eu tiré des deux hommes ce qu'elles voulaient savoir, une aiguille trempée dans du curare et enfoncée dans une artère avait fait mourir l'un comme l'autre en quelques secondes. Helga savait qui était le maillon suivant de sa chaîne. Elle n'allait pas me le dire, bien sûr, ce type d'information n'étant pas pour les non-initiés. Ainsi, Rider me soupçonnait et Helga ne me faisait pas confiance : j'étais la tranche de jambon d'un foutu sandwich qui avait toutes les chances d'être bouffé de bon appétit à la première occasion par ce sadique dénommé Fellender. Dans cette guerre, j'étais un innocent observateur. J'y avais été entraîné contre ma volonté et sans qu'on me demande mon avis, mais j'y étais et, pour le moment en tout cas, je ne voyais pas comment en sortir.

Elles avaient interrogé Carvolth ici, dans la villa d'Otto et, après l'avoir exécuté, elles avaient jeté son corps dans le Rio de La Plata. Il y avait été repêché le jour même de mon arrivée à Buenos Aires, enveloppé de boue et de sable, par une des maries-salopes qui draguent constamment le fleuve pour permettre aux bateaux de naviguer dans le canal. Mais la police ne pouvait établir aucun lien entre la mort de cet homme et celles qui l'avaient provoquée.

Otto von Zarnow était, en Allemagne, un ami de la famille Thallin. A la fin de la guerre, il avait été plus chanceux — ou plus leste — que Erich von Thallin, le mari de Helga, et il avait réussi à franchir la frontière portugaise. Ce soir-là, après le dîner, je bavardai un moment avec lui. Je constatai que, malgré son âge, il avait l'esprit très aiguisé et que, malgré son visage rébarbatif, ses manières exprimaient toute la courtoisie et tout le charme de cet « ancien temps » que nous pleurons aujourd'hui.

Tandis que nous sirotions une fine et qu'il fumait un de ses petits cigares mexicains à bouts carrés, il me dit :

— Vous savez certainement qu'après la guerre de très nombreux Allemands se sont installés dans ce pays.

— Oui, je l'ai entendu dire.

— N'eût été ce que ces Américains avaient fait à Helga, Erich von Thallin m'aurait accompagné quand j'ai quitté l'Europe, en 1945. Mais il avait appris par sa sœur que Helga était dans un hôpital de Coblence, très malade et il a voulu s'y rendre. Les Américains l'ont arrêté en cours de route et, bien entendu, exécuté par la suite. Je n'avais jamais rencontré Helga avant son arrivée ici, il y a quelques jours. Ma femme l'avait connue en Allemagne, après son mariage avec Erich. J'ai passé la majeure partie de la guerre en

Scandinavie. J'étais à Bergen, en Norvège, quand Erich m'a écrit qu'il s'était marié et m'a envoyé une photo de sa femme. Et en la regardant, je me rappelle avoir pensé : « Mon Dieu, mais c'est une enfant! »

Zarnow resta un moment silencieux, revivant probablement cette époque. Puis il poursuivit :

— Mais quelle enfant! Elle était si belle que cela me faisait mal rien que de regarder cette photo. Elle est encore une jolie femme, ne trouvez-vous pas?

— Oui.

— Son mari était, pourrait-on dire, un homme diabolique. Mais à Nuremberg, il a payé pour ses péchés, et sa culpabilité ne peut en rien rejaillir sur Helga, Mr Dockery.

— Je le sais, répliquai-je en me demandant où fichtre il voulait en venir.

— Peut-être peut-elle rejaillir en partie sur moi, mais pas sur elle

— Je le sais également.

Il me regardait de ses yeux bleu clair, celui qui portait monocle me perçant tout à coup comme une lame d'acier.

— Heureux que vous le sachiez.

« Ces hommes qui ont brutalisé Helga, ils posent un problème, reprit Zarnow, les yeux fixés sur le parquet ciré.

— Oui.

— Le monde entier a admis que Adolf Eichmann était un monstre. N'empêche qu'il y a eu beaucoup d'hostilité contre les Juifs (il prononça le mot comme s'il avait la bouche pleine d'asticots) lorsqu'ils ont exécuté Eichmann, tant d'années après qu'il eut commis ses crimes. Ce n'était plus justice, mais vengeance, a-t-on dit partout. Quel est votre avis, Mr Dockery? interrogea-t-il en me regardant.

— Mon avis a-t-il de l'importance? Ou l'opinion qu'a le monde en général? Si elle est désapprouvée par tous, Helga changera-t-elle d'idée?

Il haussa les épaules, impuissant, et soupira :

— Sûrement pas... Sa poursuite insensée contre cet Américain lui a déjà fait tuer deux hommes. Si elle parvient à Fellender, qui trouvera-t-elle? Un vieillard. Un homme aussi âgé que moi, qui tout comme moi s'attend à mourir d'un jour à l'autre ; qui a toute son existence derrière lui; toute sa raison d'être épuisée; une pauvre chose impuissante, usée, presque sans vie. Et ce vieil homme, elle veut le faire mourir lentement et cruellement. Je ne peux m'empêcher de penser que c'est mal, conclut-il en secouant la tête.

— Alors, pourquoi n'essayez-vous pas de l'en dissuader?

— Croyez-vous que je ne l'aie pas fait?

La porte de la bibliothèque s'ouvrit : resplendissant dans un smoking noir et or, Franz entra.

— Bonsoir, mon oncle, dit-il à Otto. Nous partons!

— Bonsoir, Franz. Sois prudent avec cette voiture, s'il te plaît.

J'entendais, derrière Franz, les deux « cousines » qui bavardaient et gloussaient dans le hall. Le garçon me regarda.

— Nous nous rendons à une party. Voulez-vous y venir et emmener Miss Beckwith?

Elle lui plaisait follement, Miss Beckwith.

— Désire-t-elle y aller?

— Si elle le désire, vous l'y amènerez, oui? Mon oncle vous indiquera le chemin.

— Okay.

— *Wiedersehen,* dit Franz en refermant la porte.

— Cette réception vous tente? me demanda Otto. C'est chez Hurlingham... Beaucoup d'Anglais.

Il prononça « Anglais » comme vous diriez « pestiférés ».

— Oh! Si Rhona veut y aller, je me ferai une raison! Quelque chose m'étonne.

— Oui?

— Pourquoi Fellender a-t-il attendu tant d'années avant de mettre cette statue sur le marché? Rester vingt-cinq ans assis sans rien faire sur dix millions de dollars, c'est long.

— Je me suis également posé cette question. Seul Fellender peut y répondre. S'il vit encore...

— Vous pensez qu'il pourrait être mort?

— J'ai soixante-dix ans. Même aujourd'hui, bien des hommes sont victimes de leurs artères avant d'atteindre cet âge. Helga pourrait bien découvrir que le temps lui a soustrait le sergent Fellender.

La grande double porte de la bibliothèque s'ouvrit de nouveau et cette fois, Helga et Rhona entrèrent. La baronne était montée se coucher. Les deux femmes s'approchèrent, et Helga me demanda :

— Vous a-t-il dit que j'étais folle?

— Oui, et je suis un peu enclin à être de son avis.

— Demain matin, Otto vous procurera une voiture pour vous rendre à Buenos Aires et parler pour moi à Rider. Je désire le rencontrer à son hôtel vers trois heures, si cela lui convient.

Elle avait pris un ton sec, comme si elle donnait un ordre à un domestique.

— De quoi voulez-vous parler à Rider?

Elle me sourit.

— En vérité, c'est très simple. Il est invité à une réception à laquelle je désire assister moi aussi. Quand on ouvrira la porte pour recevoir Rider, j'entrerai avec lui. J'ai l'intention de resquiller, grâce à lui.

— Et Rider vous emmènera parce qu'il ne sait pas où il va?

Rhona était debout à côté de moi. Elle me prit par le bras et m'entraîna à travers la pièce jusqu'à la porte-fenêtre. Elle l'ouvrit, et nous passâmes sur la terrasse d'où l'on apercevait, dans le lointain, les lumières de la grande ville.

— Si quelqu'un se glisse furtivement dans votre lit aux petites heures du matin, ne criez pas, chéri. Ce sera moi.

— Helga ne s'y opposera-t-elle pas?

— Non, elle insiste seulement pour que nous sauvions les apparences tant que nous sommes chez Otto. C'est pourquoi, je me glisserai furtivement.

— Ça m'étonne.

— Qu'est-ce qui vous étonne?

— Qu'elle veuille faire preuve de rectitude morale envers Otto alors qu'elle a assassiné un homme ici, il y a deux jours.

— Ne parlez plus de ça, je vous en prie, murmura Rhona.

— Pardon, j'avais oublié. Pour Helga, c'est tout à fait normal de tuer les gens.

— Pourquoi ne repartez-vous pas pour Trinidad? me jeta Rhona.

— Parce que, à l'heure qu'il est, un flic m'attend à Trinidad pour me poser des questions sur Mr Martinez.

— Eh bien! répondez à ses fichues questions!

Elle s'était écartée de moi, et je me rendis brusquement compte qu'elle pleurait.

— Pardonnez-moi, dis-je doucement.

Elle se retourna et marcha vers la porte-fenêtre. Je la saisis au moment où elle passait devant moi et la pris dans mes bras.

— Je désire que vous veniez chez moi cette nuit.

— Vous partez ou vous restez?

— Je reste.

— Alors, je vous en prie, cessez de pontifier.

— Je promets.

Son corps perdit sa rigidité et elle s'abandonna contre moi.

— Moi non plus, je n'aime pas ça, Jim.

Il faisait nuit noire quand elle arriva dans ma chambre. Elle se glissa dans le lit et se serra tout contre moi.

Le lendemain, j'eus la chance de prendre la Lamborghini de Franz. Le jeune homme et ses deux poulettes ne parurent pas au petit déjeuner. Otto me remit la clé de la Lambo et me dit :

— Prenez-la. Lorsqu'il sera levé et découvrira qu'elle est partie, il poussera des hurlements. Mais je crois que vous aurez du plaisir à la conduire.

Je lui souris et empochai la clé.

— Merci.

Et c'est vrai que j'eus du plaisir à conduire ce merveilleux engin.

J'arrivai dans la ville grouillante, garai la voiture Avenida Cordoba et marchai jusqu'à l'hôtel *Rio de La Plata*. Je demandai Rider à la réception. L'employé téléphona, donna mon nom et j'entendis à travers le microphone comme le son assourdi d'un obus qui explosait. Stupéfait, même un peu tremblant, le réceptionniste raccrocha et me dit :

— Vous êtes prié de monter, Señor. Quatrième étage. Mr Rider vous attendra devant l'ascenseur.

— Jim! Dieu merci, vous voilà! s'exclama Rider dès que je quittai la cabine.

Il me saisit la main, la secoua vigoureusement en me tapant dans le dos de sa main gauche, comme si je lui apportais sa nomination à la présidence des Etats-Unis.

— Nous sommes arrivés hier et commencions à craindre de vous avoir perdu.

Eliot Eliphantis était également soulagé de me voir, mais il le manifesta avec moins d'effusion que le vieux Malc.

— Vous avez pris votre petit déjeuner? me demanda Rider.

— Oui, on semble se lever tôt dans ce pays.

— Sûrement! Les foutus ouvriers d'un chantier, sous ma fenêtre, ont commencé à jouer du marteau-piqueur à quatre heures du matin.

— Je crois qu'il était neuf heures quand ils ont commencé, rectifia Eliphantis.

— Tout ça c'est du pareil au même, pas vrai? (Rider me regardait en riant.) Qu'est-ce que vous buvez, Jim?

— De la bière.

— Eh bien? demanda Eliphantis.

— Eh bien, quoi?

— Avez-vous pris contact?

— Oui.

Rider me tendit une bière, en silence, attendant des explications. Je lui dis :

— Helga von Thallin désire vous voir ici cet après-midi à trois heures.

— Ça alors!

— Pourquoi veut-elle nous voir, Jim? interrogea Eliphantis.

— Pour causer. Elle désire vous parler de l'endroit où vous irez en partant d'ici et de la façon dont vous vous y rendrez.

— Elle est au courant?

— Oui.

— Et vous? me demanda Rider.

— Non...

— Et si vous le saviez vous ne me le diriez pas?

Je pris l'air peiné.

— Je n'ai pas dit ça.

— Comment Helga von Thallin sait-elle où aller depuis ici, Jim? Comment l'a-t-elle découvert? demanda Eliphantis.

Je haussai les épaules, embarrassé.

— Vous le savez.

— Elle a agi comme à Trinidad? Il y a un autre cadavre dans les environs de cette ville, tout pareil à celui que nous avons trouvé dans la brousse à Trinidad? insista Eliphantis.

— Voulez-vous savoir, oui ou non, où est la statue? leur demandai-je.

— Bien sûr que nous le voulons. Mais si cette femme le sait, pourquoi désire-t-elle me le dire? s'enquit Rider.

— Parce qu'elle n'est pas acquéreur. Elle ne cherche pas à l'acheter. Elle prétend qu'elle en est déjà la propriétaire. L'individu qui la met en vente la détient illégalement et tente de se défaire de ce qui ne lui appartient pas.

Rider laissa échapper un long sifflement, puis déclara :

— Cette fille mijote quelque chose.

— Elle peut justifier de son droit de propriété... légalement.

— Elle me flanque la trouille, dit Rider, puis il regarda Eliphantis. Qu'est-ce que vous en pensez, Eliot?

Le gros homme ne répondit pas immédiatement. Il tripotait son fume-cigarette. Il était sur le point de parler, quand je demandai à Rider :

— Vous croyez qu'elle veut nous tuer?

— Elle a déjà tué deux autres gars, Jim.

— Elle ne vous tuera pas, je peux vous l'assurer. En fait, elle a besoin de vous presque autant que vous avez besoin d'elle.

— Je sais ce qui peut vous faire croire que j'ai besoin d'elle, mais expliquez-moi donc un peu pourquoi elle a besoin de moi.

— Parce que le vendeur vous a invité à venir le voir. Elle a besoin de vous pour parvenir à lui. Et une fois qu'elle sera en possession de l'objet, elle est disposée à vous le vendre pour la somme que vous en offrez.

— Comment a-t-elle l'intention de s'y prendre pour réclamer sa propriété... en admettant que cette statue soit bien à elle, me demanda Eliphantis.

— Ça, je n'en sais rien.

— Mais vous pouvez le deviner, intervint Rider. Cette femme est un Al Capone en jupon.

— Vous ont-elles dit comment elles ont intercepté Martinez, à Port of Spain?

Je faillis répondre par l'affirmative, mais me rendis compte à temps qu'il me faudrait entrer dans des détails personnels.

— Non, je ne le sais pas.

— Eh bien, je vais vous le dire! lança Rider à Eliot. Votre machine à penser en plaqué or, à New York, a une fuite.

— Pas question, rétorqua Eliot avec un grand geste de négation. S'il y a eu une fuite, c'est dans votre ordinateur à vous, Malc, pas dans le mien.

Je résolus de les ramener au fait.

— Ecoutez, Messieurs, je crois que nous nous éloignons du sujet. Il s'agit de savoir si vous voulez ou non rencontrer Helga von Thallin ici, cet après-midi à trois heures.

— Il a raison, Malc, appuya Eliot.

Rider haussa les épaules et resta silencieux un moment. Il ruminait la question, l'examinait sous tous les angles. Puis, comme le bon président de conseil d'administration qu'il était, il jeta la balle à son associé.

— Qu'en pensez-vous, Eliot?

Le gros homme haussa les épaules.

— Elle nous prend au dépourvu. Si vous voulez posséder un jour cette statue, nous devons traiter avec cette femme, que nous approuvions ou non ses méthodes.

Rider accepta d'un signe de tête réticent.

— Nous devons la rencontrer et causer avec elle, comme elle le demande.

Rider me regarda.

— Bon! Quel est cet adage à propos du diable... quand on soupe avec lui... nous serons ici à trois heures, Jim. Et j'aurai avec moi une longue, longue cuillère.

Les gens comme Malcolm Rider me font rire. Il n'est pas parvenu au faîte, dans les pétroles, en se montrant scrupuleux sur les affaires conclues ni sur les gens avec lesquels il traitait. Et voilà qu'il faisait des manières pour négocier un compromis avec Helga. Je le comprenais, cependant, puisque, la nuit dernière, j'avais moralisé sur la situation. Il fallait ou condamner résolument ces femmes et leurs agissements ou les leur pardonner. Les condamner, c'était les dénoncer et laisser-la-Justice-suivre-son-cours. Et cela je n'en avais nulle envie, non seulement à cause des sentiments que j'éprouvais pour Rhona, mais aussi parce que Helga m'avait raconté son histoire et que je la croyais vraie. Il me fallait donc pardonner les assassinats de Martinez et de Carvolth et m'en faire ainsi le complice, a posteriori. Je devinais que c'était la même petite crise de conscience que Rider venait de traverser. Il se fichait éperdument de tremper dans une sale affaire pour autant qu'elle ne compromettait pas sa liberté, sa réputation ni ses biens. Il pouvait avertir la police et elle nous attendrait à l'hôtel cet après-midi. Helga devait compter qu'il désirait si ardemment la statue que lui aussi allait devenir complice.

Finalement, je retournai à la Lambo et me faufilai à travers l'incroyable circulation de cette ville, puis je fis rapidement les kilomètres qui me séparaient de San Isidro. Je ne le savais pas alors, mais j'étais suivi depuis mon départ de l'hôtel.

Quand j'arrivai derrière la maison d'Otto et m'arrêtai au bas de la terrasse de la piscine, Franz s'approcha en courant. Blême, la bouche crispée par la colère, il arracha plus qu'il n'ouvrit la portière et m'enjoignit d'une voix rauque :

— Descendez!

Je descendis.

— Qui vous a autorisé à prendre cette voiture?

— Du calme... je ne l'ai pas démolie.

— Donnez-moi la clé.

— Elle est restée sur le tableau.

— Si vous la touchez encore une fois, je vous tuerai, gronda-t-il entre ses dents.

— Qu'est-ce que vous ferez? demandai-je en riant.

Je crois que c'est ce rire qui le bouleversa.

En tout cas, quelque chose le bouleversait car il m'envoya un swing, me manqua et faillit s'étaler. Je fis un pas en arrière et attendis pour voir s'il remettrait ça. Il s'y apprêtait lorsque, de l'autre côté de la piscine, s'éleva une sorte de rugissement. Un de ces rugissements que les gradés font retentir au-dessus de la tête des troupiers sur les terrains militaires du monde entier depuis des temps immémoriaux.

— Franz!

Otto était en tenue de plage, mais les talons réglementairement écartés, les mains derrière le dos.

Franz se calma comme sous une douche froide. Il se pencha à l'intérieur de la Lambo, retira la clé de contact et se mit à examiner la voiture. Ses deux petites amies prenaient le soleil à leur endroit habituel, près du plongeoir.

J'étais de retour juste à temps pour le déjeuner. Immédiatement après, Franz mit ses poulettes dans la Lambo et partit en direction de la ville.

Otto me donna une autre voiture, une Mercedes 300 SE, pour emmener Helga et Rhona à notre rendez-vous de trois heures.

CHAPITRE VI

A quelques kilomètres de la villa d'Otto, il y avait un bouchon sur la route et nous n'avancions plus que pare-chocs contre pare-chocs. Il y avait eu, devant nous, un accident qui paraissait grave, puisque trois voies avaient été barrées et la circulation dirigée sur une seule. Une voiture de police, tous clignotants allumés, était arrêtée au travers des deux voies rapides. Il y avait des flics, des fonctionnaires en civil qui prenaient des notes et des mesures, ainsi que des photographes. Il y avait également deux ambulances, une voiture de pompiers, une voiture grue et quelques autres véhicules de moindre importance. Et puis, je vis l'accident.

Il ne restait de la Lamborghini qu'un châssis aplati auquel adhéraient encore quelques lambeaux de métal. Les jantes des roues étaient arrachées.

— Ce n'est tout de même pas Franz? haleta Rhona.

— C'était Franz, répondis-je en menant la Mercedes sur le bas-côté. Je l'arrêtai.

— Que se passe-t-il? demanda Helga du siège arrière.

— Franz... Il a eu un accident. Attendez ici, répondis-je.

— Non! s'écria Helga, qui me saisit l'épaule au moment où je m'apprêtais à descendre de voiture. Ne vous mêlez pas à la police. Vous ne pouvez rien pour Franz. S'il est blessé il sera soigné et nous avons un rendez-vous à tenir.

Je regardai Rhona et elle dit :

— Helga, ça a l'air très grave. Je parle espagnol. Laisse-moi aller voir ce qui s'est passé. Je ne m'en mêlerai pas.

— Bon, vas-y, mais fais vite! répondit Helga avec impatience.

La fille descendit, traversa lentement la colonne des voitures toujours plus nombreuses qui avançaient sur la voie extérieure de l'autoroute.

Je m'adossai à mon siège et allumai une cigarette.

— Détendez-vous, Helga. Rider et Eliphantis ne s'apprêtent pas à partir. Si nous avons un peu de retard, ils nous attendront.

— Ils feront aussi bien, répliqua-t-elle doucement.

Je me détournai et l'examinai. Une lumière douce, diffuse, filtrait à travers la glace arrière teintée. Elle portait un béret noir, des lunettes noires et un imperméable clair à ceinture. Elle faisait penser à un personnage d'un film d'Erich Maria Remarque. Je tirai sur ma cigarette et tapotai des doigts le volant.

— Ça a l'air de quoi? demanda Helga.

— Ça a l'air d'une bombe qui aurait éclaté.

Elle se tut un moment, mais elle n'arrivait pas à se relaxer. Elle me demanda :

— Que fait Rhona?

— Elle parle à deux hommes qui pourraient être des reporters.

— Franz était journaliste. S'il est mort, cela tuera la baronne.

Rhona revenait. Elle se glissa sur le siège à côté du mien, les yeux agrandis, le visage pâle.

— Ils sont morts, tous... Franz et les deux petites.

— Mon Dieu! Cela achèvera la vieille dame, s'exclama Helga.

— Que diable est-il arrivé? demandai-je à Rhona.

— Une voiture les a dépassés. Les glaces étaient baissées. On a jeté quelque chose dans la Lambo. Ils pensent que c'est une grenade tirée avec un lance-grenades. Dix secondes plus tard la Lambo explosait. Elle a volé en mille morceaux.

— Oh! Jésus, miséricorde! murmurai-je.

Je regardais Rhona droit dans les yeux et elle soutenait mon regard. Puis, je dis :

— Qui diable a bien pu...

Mais Helga ne me laissa pas achever ma phrase.

— Jim, en route! Partons d'ici, vite! (Je me détournai.) Partez, idiot que vous êtes, partez donc!

J'insérai prudemment la Mercedes dans la longue colonne de voitures. Puis je demandai :

— Voulez-vous rentrer à la maison?

— Non! J'ai un rendez-vous, j'entends le tenir.

Rhona la regarda, elle aussi.

— Mais Otto... la baronne...

— Ça changera quoi, si c'est nous qui leur apportons la nouvelle? Tu ne comprends donc pas ce qui s'est passé? Jim est parti ce matin avec la voiture de Franz et il était censé nous emmener en ville, toi et moi, cet après-midi. Ceux qui ont tué Franz et les deux jeunes filles pensaient nous tuer nous!

Cette interprétation m'était déjà venue à l'esprit.

Comment avertirait-on un assassin pour un job de ce genre? Un homme et deux femmes dans une Lamborghini, cela suffirait. Le nombre d'autos de cette marque circulant sur cette route avec un homme et deux femmes à bord devait être si minuscule que les risques d'erreur étaient pratiquement nuls.

Mais qui savait que je conduisais la Lambo le matin et que je devais revenir en ville l'après-midi avec deux passagères?

Rider et Eliphantis, s'ils m'avaient fait suivre quand j'avais quitté leur hôtel. Ils étaient les deux seules personnes au monde qui pouvaient le savoir. Otto le savait, mais il savait aussi que nous ne prendrions pas la Lambo l'après-midi. Donc ce ne pouvait être que Malcolm Rider ou son gros ami — ou tous les deux. Mais c'était incroyable. Pourquoi auraient-ils voulu nous supprimer?

Rhona émit l'idée que les tueurs en voulaient à Franz et non pas à nous. Il avait été journaliste et pouvait avoir été mêlé à de sombres histoires. Dans ces pays d'Amérique latine, les politiciens ont un penchant pour les explosifs.

Si c'était le cas, pourquoi avoir tué également les deux jeunes filles? Un exécuteur aux trousses de Franz aurait attendu qu'il fût seul pour l'abattre.

Cela ne faisait pas de doute : cette bombe nous était destinée. Et le moins qu'on pût dire, c'est qu'il y avait de quoi en perdre son sang-froid.

A trois heures vingt, nous étions devant l'hôtel. J'y laissai les deux femmes et allai garer la voiture quelques blocs plus loin, sur l'Avenido de Mayo. Je revins au *Rio de La Plata*. Rhona était debout, près du comptoir de la réception. Helga avait disparu.

— Elle est dans une cabine téléphonique. Elle appelle Otto. Jim... Ils sont partis!

— Qui est parti?

— Rider et Eliphantis. Ils ont quitté l'hôtel il y a deux heures.

— Hein? dis-je bêtement.

— Ils ont payé leur note, emporté leurs bagages, ils sont partis définitivement.

— Ont-ils laissé un message?

— Non, rien.

— Eh ben! Un vrai jour d'anniversaire... plein de surprises, pas vrai?

J'allumai une cigarette.

— Ils avaient de bonnes raisons de penser que nous ne viendrions pas, c'est clair.

C'était incroyable. En tout cas de la part de Rider. Patron d'une des plus grandes compagnies pétrolières du monde, il ne se servirait pas de tueurs à gages. Pourtant, Eliphantis m'avait dit qu'on tuait pour bien moins que cette Vénus enchaînée. Donc, ce devait être lui le cerveau. Mais pourquoi? S'il craignait la compétition, il aurait certainement attendu de connaître le prochain maillon de la chaîne avant de l'éliminer et pour cela, il lui fallait voir Helga.

A travers le hall, dans une cabine vitrée, je vis Helga raccrocher le récepteur, ouvrir la porte et rester hésitante, ne sachant où se diriger. Rhona et moi la rejoignîmes rapidement.

— La police est avec Otto et la baronne, nous annonça-t-elle.

Nous nous rendîmes au bar, nous assîmes et je demandai deux fines pour mes compagnes et un whisky pour moi.

— Décrivez-moi Malcolm Rider, me demanda Helga.

— Un mètre quatre-vingt-quinze, cent kilos, visage rouge, cheveux abondants, gris et coupés court, lunettes cerclées d'écaille, visage rasé, quarante-cinq ans environ.

— Ce n'est en tout cas pas Eugene Fellender, dit Helga en secouant la tête.

— Qu'est-ce qui vous faisait croire qu'il aurait pu l'être?

— Fellender aurait pu monter cette opération simplement pour se débarrasser de moi. Tant que je suis en vie et peut prétendre légalement à cette statue, je suis une gêne pour lui.

— Et Eliphantis? lui demanda Rhona.

— Son âge ne correspond pas non plus. Fellender avait près de quarante ans en 1945.

— Ce que vous dites, Helga, laisserait supposer que Fellender vous a fait venir jusqu'ici, simplement pour vous tuer. Il aurait pu le faire n'importe où... Même à Londres.

— C'est vrai, dit-elle reconnaissant la faille dans son raisonnement.

— Quel est le prochain maillon de la chaîne, Helga?

— Catacomba.

— Qu'est-ce que c'est?

— Je sais seulement que c'est un lac à quelque deux mille kilomètres d'ici, dans une cordillère des Andes appelée Darwin...

— Bon Dieu! Mais comment allez-vous y aller?

— Un hydravion peut atterrir sur le lac.

— Et vous avez l'intention?...

— C'est ça ou renoncer... Rentrer à Londres.

— Alors, pourquoi ne renoncez-vous pas?

— Autant mourir, dit-elle avec lassitude.

— Et si vous ne renoncez pas, j'ai l'impression que vous mourrez de toute façon!

— Merci, dit Rhona.

Je la regardai car il y avait dans la façon dont elle avait prononcé le mot quelque chose de lugubre. Elle me dévisagea avec froideur, presque avec dégoût.

— Et où serez-vous, Mr Dockery?

La question était je suppose pertinente. Car où en étais-je donc avec ma compagnie de pétrole? Si le président de la branche qui vous emploie en arrive à engager des tueurs pour jeter des grenades sur vous, il paraît logique que votre carrière dans une de ses filiales ne soit pas très brillante. D'autre part, mon contrat n'avait pas été officiellement résilié, je devais donc, en principe, retourner à Fyzabad — mais cette manœuvre n'était pas elle non plus sans complication. Il y avait notamment le cadavre de Mr Martinez. A l'heure qu'il était, tous les flics de Trinidad devaient avoir envie de me parler.

Je regardai Rhona et haussai les épaules. Elle ne me quittait pas des yeux, attendant une réponse à sa question. Rhona était elle aussi une fichue complication.

Je m'adressai à Helga.

— Vous avez actuellement un renseignement de taille concernant la statue : vous savez que Malcolm Rider va probablement l'acquérir. Alors, pourquoi ne pas rentrer à Londres et remettre l'affaire entre les mains d'un avocat?

— Si Rider achète la statue, une action judiciaire serait extrêmement longue et coûteuse. Mes chances de gagner ne seraient que de cinquante pour cent. Il faudrait plaider devant un tribunal américain. L'achat de bonne foi n'est pas un délit. Et n'importe quel juge au monde y regarderait à deux fois avant d'enlever à un homme un objet qu'il a payé dix millions de dollars. Un tribunal serait bien capable de décider que ces dix millions m'appartiennent, mais pas la statue.

— Mais Rider achète une statue qu'il sait avoir été volée.

— Non, il ne le sait pas. Le fait que la Vénus enchaînée figure sur des listes d'objets d'art manquants après la guerre ne prouve pas qu'elle a été volée. Si Fellender peut donner des explications qui se tiennent, fondées sur une documentation établissant comment il est devenu le propriétaire légal de la statue — et après tant d'années il doit être à même de le faire — Rider est en droit de conclure le marché, sur le conseil de ses avocats. Une telle histoire, bien sûr, ne serait qu'un tissu de mensonges, mais si les mensonges sont assez plausibles, pratiquement irréfutables, Rider gagnerait.

— Donc, la seule action que vous puissiez entreprendre est de vous rendre personnellement à cet endroit... comment l'appelez-vous?

— Catacomba.

— Eh ben!... Je vois mal quelles sont vos chances à Catacomba, ma pauvre amie.

— Ce qui veut dire que vous n'y viendrez pas? insista Rhona.

— Un lac en plein milieu des Andes!... A des centaines de kilomètres de toute civilisation. Ce doit être l'endroit rêvé pour un massacre. Ou bien il n'y a rien du tout là-bas, et c'est juste un piège qu'on vous tend pour brouiller la piste, ou bien il y a là-bas quatre ou cinq types avec des bombes et des mitraillettes. Comme vous le dites, Helga, tant que Fellender n'a pas vendu la statue, vous le gênez.

— S'il me fait venir là-bas pour me tuer, pourquoi aurait-il essayé de me tuer aujourd'hui?

— Vous ne savez pas si Fellender était en cause aujourd'hui.

— Alors, qui était-ce? interrogea Rhona.

— Demandez donc au réceptionniste si nos deux amis ont eu ce matin une autre visite que la mienne, et s'ils ont donné ou reçu des communications téléphoniques.

— Pourquoi n'y allez-vous pas vous-même, s'insurgea-t-elle.

— Parce que je ne parle pas la *lengua*, chère amie.

— Oui, Rhona, c'est une idée, appuya Helga.

La fille se leva et sortit du bar, visiblement furieuse.

— Si je vais à Catacomba, Rhona y viendra avec moi, et ce sera fini entre vous, n'est-ce pas?

— Cela vous regarde?

— Oui, je sais quelles sont ses sentiments pour vous. Et si cela doit être une cause de rupture entre vous, je n'irai pas à Catacomba. C'est la seule considération qui puisse m'arrêter.

Je la regardai longuement, en silence, puis je déclarai.

— Si Rhona tient à moi autant que vous le laissez entendre, Helga, elle ira où je veux et non pas où vous le voulez.

— Quand cette affaire sera réglée, oui. Elle ira avec vous où vous voudrez.

— Pourquoi, mais pourquoi, au nom du ciel, doit-elle vous suivre?

— Je voudrais un autre cognac.

Je fis signe au barman de remplir nos verres.

— Rhona vous a raconté que nous étions amantes?

— Oui.

— Pourquoi pensez-vous qu'elle vous ait dit ça?

— Parce que c'est vrai, répondis-je en haussant les épaules.

— Elle vous mettait à l'épreuve, Jim. Elle voulait savoir quelle serait votre réaction en apprenant sur son compte quelque chose de... déplaisant. Parce que, si vos relations deviennent plus sérieuses, vous apprendrez quelque chose de beaucoup plus déplaisant encore et qui, contrairement à cette histoire d'amour contre nature, est malheureusement vrai. Rhona présente au monde une façade de confiance et d'efficacité, voire d'assurance exagérée en elle-même, mais elle est en fait une petite fille craintive et insécurisée. Elle vous aime et elle a besoin de vous.

Le garçon apportait nos boissons. Dès qu'il se fut éloigné, je demandai, très bas :

— Qui est-elle, Helga?

— Vous ne devez pas lui dire que je vous en ai parlé. Promettez-le-moi.

— Je vous le promets.

— Rhona est ma fille, dit Helga d'une voix blanche, sans émotion aucune. Son père est — ou était — le sergent Fellender... ou l'un des soldats de son escouade.

— J'aurais dû le deviner.

— Non, vous n'aviez aucune raison de le penser et, vis-à-vis de Rhona, vous ne le savez toujours pas. Mais vous comprenez pourquoi je devais vous le dire. Vous la mettez en face d'un choix cruel : vous ou moi. Si la situation était normale, elle n'hésiterait pas un instant, elle s'en irait avec vous. Mais à présent...

— C'est moi qui lui impose un choix cruel. (Le point de vue de Helga m'amusait.) C'est vous qui insistez pour l'emmener au lac Titicaca ou Dieu sait où, et l'offrir en sacrifice humain au sergent Fellender.

— Que voudriez-vous que je fasse?

— Que vous oubliiez cela. C'est la seule chose à faire.

Elle se tut pendant un moment. Puis elle avala une gorgée de cognac, me regarda, ou plus exactement leva vers moi son beau visage sans regard et demanda très calme :

— Voudriez-vous réellement que je ne le fasse pas?

Je compris que si je répondais « oui », elle abandonnerait, malgré ce que cela représentait pour elle, c'est-à-dire tout. Mais, pour une raison obscure, je ne parvins pas à articuler ce « oui ». Je me mettais à sa place... Rien ne m'aurait arrêté. Malgré son argent, malgré sa beauté, elle me faisait pitié, parce que cette histoire Fellender était sa seule raison de vivre. Je n'avais pas le cran de la lui enlever. Et même alors, Rhona ne me l'aurait jamais pardonné et notre avenir aurait été de toute façon brisé.

La mort dans l'âme, je devais reconnaître que ma seule raison de vouloir que Helga abandonnât son idée était que j'avais peur pour ma peau. Et je ne voulais pas perdre Rhona simplement parce que j'étais un lâche.

— Bien joué, murmurai-je.

— Qu'est-ce qui est bien joué?

— Le chantage exercé sur moi pour que je participe à un suicide collectif.

— La décision n'appartient qu'à vous seul, Jim.

— Ça, je le sais.

Helga me souriait, les lèvres serrées, et je fis signe au garçon que je voulais encore un whisky, lorsque Rhona arriva.

Elle s'assit et me regarda comme si j'étais un égout ouvert.

— Alors? lui demandai-je.

— Ils ont eu un visiteur avant votre venue — en fait il était déjà là quand vous êtes arrivé. Il est resté dans l'appartement de Rider pendant tout le temps qu'a duré votre visite.

— Quoi? dis-je, incrédule.

— Il est parti juste après vous. Il vous suivait.

— Etes-vous allé dans la chambre à coucher? ou dans la salle de bains? me demanda Helga.

— Non, dis-je, écœuré de ma stupidité.

— C'est un nommé Carvolth, déclara Rhona.

— Hein?

— Il y avait quatre frères Carvolth, dit Helga, des racketteurs bien connus, vivant également de la prostitution.

— Oui, poursuivit Rhona. C'est ainsi que le réceptionniste l'a reconnu, quand il a demandé Rider ce matin. C'était Chico Carvolth.

— Ce n'est donc pas Fellender qui a essayé de nous faire sauter cet après-midi... C'étaient simplement les Carvolth qui voulaient venger leur frère... Celui que vous avez tué.

— Cela n'explique pas pourquoi Rider et Eliphantis ont disparu, répliqua Helga en secouant la tête.

— Nous pouvons supposer, sans grand risque de nous tromper, que lorsqu'un des frères savait quelque chose, il mettait les autres au courant... Par conséquent qu'ils savaient tous que le maillon suivant de la chaîne est Catacomba, dit Rhona.

— C'est probable, en effet, dis-je.

— Donc, reprit Rhona, en échange d'une information que Rider lui aurait donné sur nous ce matin, Carvolth pourrait bien lui avoir indiqué le maillon.

— Oui, c'est plausible, dit Helga.

Mon regard alla de l'une à l'autre, puis je dis :

— Et actuellement Rider et Eliphantis sont en route pour Catacomba?

— Exactement, acquiesça Helga.

— Alors, ne serait-il pas temps que nous partions?

— Nous?... demanda Rhona en me dévisageant.

— Où est votre hydravion?

— Il est mouillé à El Aguila.

— Et votre pilote?

— Un coup de téléphone et tout sera réglé.

Rhona emmena Helga dans le hall, jusqu'à une cabine téléphonique, composa un numéro pour elle. Puis elle revint vers moi et me demanda :

— Pourquoi venez-vous avec nous?

— J'ai toujours rêvé de voir le désert de Patagonie, figurez-vous!

Elle posa un instant sur moi des yeux écarquillés, puis, se rendant compte que j'essayais d'être drôle, elle sourit, mais il y avait des larmes dans ses yeux. Elle me saisit la main.

— Merci, chéri.

Je réussis à lui rendre son sourire, mais après un sérieux effort.

La Plata qui d'habitude a une couleur de bouse sèche rutilait au soleil couchant comme du cuivre poli, tandis que je conduisais la Mercedes d'Otto vers le nord. Nous avions procédé à quelques achats, parce qu'il devait faire froid à cette saison, dans le sud du pays, et la nuit était tombée quand nous arrivâmes au club de voile « La Lucila », sur le fleuve, à El Aguila. L'hydravion était mouillé à l'extrémité de la longue jetée, brillamment illuminée. Le pavillon du club était immense et luxueux. Nous y trouvâmes, dans le hall, Otto et un homme plus jeune, assis à une table, devant des cafés. Le compagnon d'Otto était un pilote, Frederic Rao.

Otto était sombre. Il demanda à Helga :

— Vous savez qui a fait ça, cet après-midi?

— Les frères Carvolth, je suppose?

Otto poussa un long soupir.

— Et vous voulez quand même vous rendre à Catacomba?

— Oui.

Le vieil Allemand me regarda, puis jeta les yeux par-dessus son épaule, à travers la baie vitrée.

— Eh bien! Mr Dockery, l'appareil est là.

Rao me demanda :

— Vous êtes pilote, Señor?

— Je l'ai été autrefois, répondis-je...

Et je commençai à comprendre...

— Vous connaissez ce genre d'engins?

— Non.

— C'est très simple à manier... comme un avion d'entraînement. Vous vous en tirerez sans difficulté.

— Mais de quoi parlez-vous, mon vieux?

— Jim, m'annonça Rhona, Mr Rao refuse de nous emmener à Catacomba.

— A cette époque de l'année, c'est un trop grand risque, confirma Rao. Le temps, là-bas, ne se prêtera guère à un amerrissage sur le lac. Il y aura trop de glace.

— Jim, je vous en prie... plaida Rhona.

Je restai un moment incapable d'articuler un son. Je regardais simplement Rhona et quand je pus enfin parler, ma voix était rauque.

— C'était pour ça que vous m'avez téléphoné à Trinidad et demandé de vous rejoindre ici?...

— Elle voulait vous téléphoner de toute façon, Jim, intervint Helga. C'est pourquoi je lui ai permis de vous appeler.

— Vous feriez n'importe quoi et vous serviriez de n'importe qui, n'est-ce pas, pour assouvir votre ignoble vengeance puante?

— C'est vrai, admit-elle, les lèvres serrées. Mais si vous vous intéressez à Rhona, vous vous intéressez aussi à moi.

Je regardai celle-ci. Ses yeux étaient embués.

— Si Rao dit qu'il ne peut pas faire ça, qu'est-ce qui vous fait penser que je le pourrai? Je n'ai pas touché les commandes depuis six ans.

— Il n'a pas dit qu'il ne le pouvait pas, mais qu'il ne le voulait pas, précisa Helga.

Rao haussa les épaules.

— Vous avez une chance sur deux de réussir. Mais j'ai une femme et des gosses. Et une chance sur deux de revenir vivant ne me suffit pas, ni à ma femme ni à mes gosses. Je vous l'ai dit, à cette époque de l'année, le temps est presque toujours mauvais à Catacomba et si l'eau est très agitée ou s'il y a trop de glace, vous ne pourrez pas amerrir. Vous serez à court de carburant et devrez vous poser n'importe où.

— Je ne me suis jamais posé sur l'eau, ni agitée ni calme.

— Si vous voulez, proposa Rao, nous ferons ici quelques décollages et quelques amerrissages avant que vous preniez le départ, ça vous habituera un peu à l'appareil.

— Bon, merci! dis-je sans enthousiasme aucun, puis je m'adressai à Helga : Vous rendez-vous compte que si je rate mon amerrissage là-bas, et il y a toutes les chances pour que je le rate, le sergent Fellender et ses gars riront aux éclats en se rendant sur la rive, parce que vous, Rhona et moi serons de la viande surgelée au fond du lac Catacomba?

— J'accepte ce risque, dit-elle sans émotion.

— Alors, allons-y, dis-je à Rao.

Rhona courut derrière moi et me rattrapa dans le hall.

— Vous faites ça pour moi, Jim?

— C'est notre seule chance, n'est-ce pas? Si je refuse, c'en sera fini de nous deux.

Elle me jeta les bras autour du cou. Elle pleurait et ses larmes mouillaient le col de ma chemise. Elle murmura :

— Essayez de comprendre, chéri. Il faut en finir avec cette affaire. Tant qu'elle ne sera pas terminée, je ne pourrai pas disposer de moi.

Je le comprenais, je comprenais aussi que j'étais un fichu imbécile, beaucoup trop fier pour se dégonfler et laisser tomber cette sale histoire, quitte à se montrer lâche sur les bords.

Je fis quelques décollages et quelques amerrissages, avec Rao à côté de moi, sur le siège du navigateur. Au troisième ça commençait à aller. Quant au coucou, un Pilate de fabrication suisse, avec un seul moteur de 500 HP, ce n'était pas l'idéal pour traverser les Andes... Mais nous n'avions rien d'autre.

Rao me donna quelques explications géographiques et pratiques. Je pouvais faire le plein au lac Nahuel Huapu.

— Près de Catacomba, il y a une ville, Puerto Catacomba et dans cette ville, l'hôtel *Lago* qui possède un émetteur assez puissant que l'on peut capter à deux cent cinquante kilomètres environ. La ville est à l'est du lac. Au sud se trouve la baie des Anges, l'endroit où vous devrez vous poser. Elle est abritée et l'eau y sera probablement calme. Le grand problème, ce serait la glace.

« Bonne chance! conclut-il sinistrement en sortant du cockpit.

La cabine comprenait quatre sièges, deux étaient occupés par Helga et Rhona équipées de Mae Wests, les deux autres par nos bagages. Je fis un petit discours :

— Le commandant Dockery vous souhaite la bienvenue à bord de son cercueil volant et espère que vous apprécierez votre dernière nuit sur cette terre.

— Jim! dit Rhona, ne parlez pas ainsi!

Mais Helga sourit et dit simplement :

— Prêtes à partir quand vous voudrez, Commandant.

— Attachez vos ceintures, dis-je en regardant le pavillon du club, de l'autre côté de l'eau.

Le feu de départ était au vert. Je baissai le levier qui coupait les amarres et le Pilate se mit à glisser sur l'eau, puis se souleva quand je pesai sur le manche à balai. En face de nous, les lumières défilaient de plus en plus vite.

Il était trop tard pour caner!

CHAPITRE VII

Je me souvenais de ce qu'avait écrit Saint-Exupéry sur le survol de cette partie du monde, sur l'hostilité de l'environnement, sur l'inquiétant, le rébarbatif paysage de la Patagonie. Il avait de la chance... Il l'avait vue. Moi, je ne voyais que des nuages d'un bout à l'autre de l'univers, sur lesquels se découpait par intervalles un sommet des Andes. Les cimes flottaient comme un archipel fantomatique dans une mer de nacre. Je cherchais l'un d'eux, le Cerro Gaia — trois mille sept cent quatre-vingt-sept mètres, disait la carte, un volcan dormant. Une fois que je l'aurais repéré, je saurais où j'étais, mais descendre dans ce coton, au-dessous de nous, était peu tentant et la visibilité devenait un problème. Une erreur de calcul et c'en serait fini.

Le sommet du Cerro Gaia transperça le plafond de nuages et nous salua d'une bannière de vapeur et de fumée brune, volcanique. Dormant, disait la carte, il ne me paraissait pas du tout si endormi que ça, le salaud!

— Nous allons descendre, annonçai-je.

— Sommes-nous arrivés? demanda Helga.

— Pas tout à fait.

La pointe nord du lac Catacomba était à cinquante kilomètres du volcan, il allait me falloir « foncer dans le pot de colle », comme on disait au Viêt-nam quand un Hawkeye avait repéré une cible, invisible pour nous et que nous devions piquer dans les nuages pour l'attaquer. Fallait vraiment être cinglé pour quitter la zone de sécurité et pour foncer à une vitesse de Mach 2,5 à travers un barrage aérien, risquant d'un instant à l'autre de rencontrer un missile sol-air... ce qui, finalement, m'était arrivé. Mais, à l'époque, j'avais un culot et des nerfs à toute épreuve, tandis qu'à présent, j'avais une peur bleue à bord de ce petit coucou qui piquait dans le coton, de trois mille mètres d'altitude. Immédiatement, le Pilate se trouva enveloppé d'une couverture blanche, aveuglante. On ne voyait plus que des myriades de gouttelettes de buée qui se condensaient à l'extérieur des vitres de la cabine. L'essuie-glace allait et venait sans résultat et j'étais assis, la commande en main, observant le compteur de vitesse, les altimètres. Si nous heurtions quelque chose, notre fin serait au moins rapide... Mais cette idée ne me calmait pas. Nous sortîmes des nuages à quelque sept cents mètres pour trouver le grésil. Au-dessous de nous, je voyais par moments un sol à la végétation rare, pauvre, désolée. On apercevait entre des coulées de lave noire de maigres troupeaux de moutons, qui semblaient y chercher abri.

Je luttais pour maintenir le Pilate vent de travers la commande et les pédales tremblaient sous mes mains et mes pieds. Nous étions pris dans des trous d'air. Le grésil devenait pluie et la visibilité s'améliorait. Nous étions au-dessus du lac, une rive déchiquetée sur notre gauche. A droite, à l'horizon, trois fantômes blancs se dressaient dans la brume... des montagnes. Mes yeux parcouraient le tableau de bord, les différents indicateurs : jusqu'ici tout allait bien, mais les deux gros flotteurs, sous le Pilate, étaient un sacré emmerdement avec le vent qu'il faisait.

Il était temps d'appeler cet hôtel *Lago*, à Puerto Catacomba, dont Rao m'avait parlé et de lui annoncer notre arrivée. J'appelai donc sur la longueur indiquée dans le manuel et, agréable surprise, on me répondit presque immédiatement... C'était une femme et elle ne parlait pas anglais. Je passai donc les écouteurs à Rhona — qui avait depuis longtemps pris le siège du navigateur, à côté de moi — et la laissai faire la causette.

— Demandez-lui quel est l'état de la glace dans la baie des Anges, recommandai-je.

Nous étions assez bas, à présent, pour distinguer clairement la surface du lac. De grandes vagues se gonflaient sous le vent, presque aussi fortes qu'une marée modérée en pleine mer. Nous passâmes au-dessus d'une montagne et le flotteur de tribord parut balayer leurs sommets glacés.

Rhona parlait rapidement dans le micro, puis elle enclencha pour recevoir et écouta un moment. Elle appuya de nouveau sur le bouton de transmission, se remit à parler et dit enfin :

— Gracias... Over.

Elle retira son casque d'écoute.

— Elle dit que les eaux sont tout à fait calmes dans la baie des Anges, mais qu'il y a de la glace.

— Mince alors! murmurai-je, histoire de répondre quelque chose.

— Ils envoient un bateau là-bas, pour le cas où nous réussirions à amerrir. Le vent est du sud-est.

Nous passions à présent au-dessus de Puerto Catacomba. Ce n'était qu'une longue rue boueuse bordée de tristes maisons en bois et en tôle ondulée. Deux édifices, par contraste, paraissaient magnifiques. L'un, à deux étages, était le *Lago*. On distinguait quelques voitures garées devant la façade, mais aucun autre signe de vie. L'autre était un bâtiment de pierre avec un grand clocher devant : une église espagnole.

Du terrain boisé, derrière l'église, s'élevait de la fumée qui se dispersait au-dessus du lac.

— Que peut-on bien faire brûler dans ce brouillard? demandai-je.

— Ce n'est pas de la fumée, mais la vapeur de boues très chaudes. Le terrain est volcanique dans toute la région.

Sur l'eau, un grand bateau, de forme curieuse, luttait contre les vagues et se dirigeait vers le sud.

— Ce doit être le bateau qui vient à notre rencontre, dit Rhona.

— A condition que nous arrivions à nous poser...

— Et si nous ne le pouvons pas, Jim?

Elle avait l'air de s'en préoccuper — vaguement — pour la première fois.

Je lui désignai du menton l'indicateur d'essence.

— Il faut que nous nous posions. Nous n'avons plus assez de carburant pour continuer jusqu'à Rio Gallejos ou Lago Argentina, terrains les plus proches.

Une cabane de rondins, de la fumée s'élevant de sa cheminée de pierre, se dressait isolée dans une clairière. Derrière, il y avait un enclos avec deux chevaux qui se mirent à ruer et à s'agiter en nous voyant passer au-dessus d'eux. Une vieille camionnette rouillée était garée au milieu de dépendances en tôle. Puis, les arbres disparurent et nous fûmes de nouveau au-dessus des eaux de la baie des Anges.

Je descendis à une altitude de cinquante mètres pour inspecter la glace. Le long du rivage, l'eau était complètement gelée, laissant par places un canal d'eau libre mais nulle part supérieur à dix mètres. Et puis, comme si ce n'était pas assez de cela, deux larges plaques de glace s'étaient détachées et, couvertes de neige, flottaient blanches sur le fond vert sombre de l'eau. Je comprenais pourquoi Rao avait refusé de piloter avec la perspective d'amerrir ici.

— Qu'est-ce que vous en dites? s'enquit Rhona.

— Toucher c'est couler, répondis-je. Et en effet si l'un de nos flotteurs heurtait la glace, ce serait immanquablement aller par le fond.

Je repris de la hauteur et virai de nouveau pour chercher une étendue d'eau libre, mais les vagues y bouillonnaient et écumaient. Le vieux vapeur faisait de son mieux, pour approcher de nous. Je décrivis un huit allongé pour me mettre vent debout. Ce faisant j'aperçus le glacier du Catacomba au sud juste sous le bout de mon aile gauche, puis, ma boucle achevée, le retrouvai sur ma droite.

Je serrai les dents et dis aux deux femmes :

— On y va!

Je coupai les gaz, perdis de la hauteur tout en maintenant ma vitesse à 95. Altitude 170 mètres. Mes flotteurs prêts à prendre le contact de l'eau dans l'étroit canal entre les plaques de glace. Cramponné au manche, les deux pieds écrasant les pédales, j'attendais l'instant où se produirait le choc sur la glace et l'écrasement...

Il ne se produisit rien de tel. La vitesse acquise dans notre descente était maintenant freinée et nous glissions à la surface du lac. A travers le plexiglas je pouvais apercevoir le ruban d'eau libre devant nous. Pendant un moment, je ne pus y croire, je demeurais crispé sur le manche, suant à grosses gouttes. Soudain je compris que nous étions encore vivants et de nouveau l'air pénétra dans mes poumons. L'hydravion s'immobilisa au milieu du canal, je coupai tous les contacts et, calé contre le dossier de mon siège, je m'abandonnai et laissai couler ma sueur.

Sur le siège à côté du mien, Rhona chercha ma main et murmura :

— Chéri, vous avez été formidable!

Nous dérivions sous l'effet du vent. Les ancres! Où diable étaient ces fichues ancres? Il me fallait ouvrir la cabine pour en mouiller une. Le froid me heurta comme un coup de poing et je me sentis sur-le-champ métamorphosé en un frissonnant sorbet. Je descendis l'ancre : cent mètres de fond ou presque. Les femmes étaient en train de défaire le paquet de vivres de réserve qu'heureusement nous avions emportés.

Le bateau nous rejoignit une demi-heure plus tard. C'était un antique rafiot dont la machine qui luttait contre le vent, une carcasse ventrue peinte comme pour un carnaval : un bleu malsain, un rouge de boîte aux lettres, un jaune de soufre. Des flocons de fumée s'échappaient de sa haute cheminée semblable à un tuyau de poêle. C'était le mécanicien qui nous sifflait un message. Nous ne pouvions l'entendre, dans le vent, mais heureusement me restait dans la mémoire, parmi tout le fatras de notions inutiles qu'on y emmagasine, une suffisante connaissance de l'alphabet morse et à la longueur différente des jets de vapeur, je pouvais reconstituer le message.

— Ils vont nous envoyer un canot, dis-je.

Le bateau vint par le travers et descendit un youyou avec un rameur. Celui-ci s'amarra aux entretoises d'un de nos flotteurs et leva la tête en souriant : mon premier contact avec un Patagon! Il avait la peau couleur cuir bouilli, une lourde carrure et quelque chose de mongoloïde dans son aspect. Nous descendîmes sur le flotteur et de là dans le canot. En quelques puissants coups de rames, notre passeur nous conduisit au bateau. Deux hommes d'équipage aidèrent les femmes à monter à bord. Puis je grimpai à mon tour.

Un homme trapu, en suroît noir, nous introduisit dans l'habitacle, longue cabine qui devait servir de mess à l'équipage. Un poêle à gros ventre s'y trouvait, dont la grille ouverte laissait voir des charbons allumés et qui répandait une bienfaisante chaleur. Là étaient assis trois hommes et une femme sur un banc de bois derrière une table massive mais propre.

Ils nous examinaient en silence, tandis que l'homme en suroît refermait derrière nous la porte. Ils buvaient du yerbamaté au moyen de bombillas d'argent et l'un d'eux dont le bol était vide produisait un gargouillis en continuant d'aspirer machinalement.

Au moins ici étions-nous au chaud. Je défis ma combinaison et enlevai mes gants.

Un des personnages se leva du banc et je crus d'abord qu'il était déguisé, mais mon instinct m'avertit de ne pas rire. Son aspect bizarre avait quelque chose d'inquiétant et le long de sa cuisse droite pendait un étui à revolver. L'homme était grand, paraissait jeune bien qu'une épaisse moustache lui donnât l'air plus âgé, et était entièrement vêtu de noir. L'arme qu'il portait dans un étui de cuir travaillé et orné de boutons d'argent était un colt de marine 44.

Les yeux, dont l'expression ne donnait pas envie de plaisanter, étaient bleus et froids, sa lèvre inférieure pendait et il semblait n'avoir pas de menton. Cette face et ce revolver donnaient au personnage quelque chose de presque tragique.

Il nous regarda de la sorte pendant un long moment, les pieds écartés, les mains derrière le dos et le silence devenait gênant, quand, soudain, sa bouche dessina un large sourire et articula :

— Soyez les bienvenus, les très bienvenus à Catacomba.

La voix était profonde, l'accent faisait penser à celui d'un Mexicain qui aurait longtemps vécu aux Etats-Unis; le ton sonore de l'espagnol mêlé à la prononciation traînante du Texas. Et en parlant il esquissait le geste des héros de western qui se préparent à sortir leur revolver.

Maintenant, c'était la jeune fille qui se levait du banc et se plaçait derrière. Elle était grande et bien faite, sa chevelure était aile de corbeau, les yeux étaient grands et elle portait des anneaux de cuivre aux oreilles. Son vêtement était de cuir jaune, ses jambes gainées dans un pantalon, et chaussées de bottes de cheval.

En réponse à la bienvenue du personnage, Helga nous présenta :

— Je suis Helga von Thallin. Mes compagnons sont Rhona Beckwith et James Dockery.

La belle jeune fille répondit :

— Je m'appelle Juanita Malone. Et voici mon frère Pedro, ajouta-t-elle en désignant du geste le grand méchant loup.

Les deux autres restaient assis à table, devant leurs bols de maté. L'un d'eux était trapu, très large d'épaules et de torse, avec un visage aplati de Slave, de grosses lèvres et des yeux bridés comme ceux des Chinois... L'autre était de beaucoup le plus âgé de tous. Il avait la soixantaine, était grand, mince et droit. Ses petits yeux noirs avaient une expression morne, lasse et insensible.

La jeune fille dénommée Juanita désigna de la tête le plus jeune des deux hommes.

— Voici Ricardo Whimple et — elle regarda le plus âgé — voici son père, Fletcher Whimple.

Ils ne bronchèrent pas.

Puis le plus âgé dit d'un ton brusque :

— Asseyez-vous!

Un garçon était entré avec du maté brûlant. Nous prîmes place autour de la table et l'on nous versa à boire. Rhona aida Helga à trouver son bol et à mettre la bombilla entre ses lèvres.

— Aveugle? interrogea le vieil homme avec rudesse et sans la moindre sympathie.

— Pourquoi êtes-vous tous venus à notre rencontre? demanda Helga, impassible.

— On nous a dit de vous attendre, Madame, expliqua Juanita, et de vous prier d'accepter l'hospitalité de l'estancia Malone.

— On nous a dit d'attendre les deux dames seulement, reprit le vieil homme en posant les yeux sur moi. Il n'a pas été question d'un ami.

Le grand gars en noir, dénommé Pedro, posa son pied gauche sur le banc où il avait été assis, plia son coude sur son genou soulevé, le pouce droit tout proche du revolver sur sa cuisse et me regarda à travers la table, tout en disant :

— Le fait est, Fletch, qu'il est ici. Donc, il faudra qu'il vienne avec nous lui aussi.

Puis il quitta sa pose de héros de western et se mit à rouler une cigarette.

Fletcher Whimple tira une flasque d'une poche intérieure de sa veste de peau et ajouta deux doigts d'un liquide ambré à son maté. Un relent d'eau-de-vie de seigle arriva jusqu'à moi.

— Merci pour moi, Fletch, dit Pedro.

Le vieil homme lui tendit la flasque. Le garçon la porta à sa bouche, renversa la tête en arrière et avala une longue gorgée. L'alcool coula du coin de sa bouche sans menton.

Je pris une cigarette et l'allumai.

Pedro me regarda, comme un serpent peut regarder un crapaud, et essuya sa bouche du revers de sa main, tenant toujours la flasque dans l'autre.

— C'est pas à moi, dit-il, autrement je vous en offrirais bien. Mais le vieux Fletcher n'est pas un gentleman !...

Et il lui tendit la bouteille. Fletcher rit du bout des lèvres et la reprit.

— C'est comment déjà que vous vous appelez?

— Jim Dockery, dis-je entre deux bouffées.

Pedro secoua la tête.

— Et vous restez ou vous repartez?

— Repartir, je ne le peux pas. A moins que vous ne mettiez quatre cents litres d'essence dans mon réservoir.

— Ça pourrait s'arranger.

— Dans ce cas, dis-je en regardant Helga et Rhona, nous pourrions tous repartir.

— Non. Il n'est question que de vous.

— Alors je suppose que je reste.

Nous abordions au quai et nous montâmes sa pente traîtresse, toute glissante de neige foulée et de glace. Nous passâmes entre des rangées de baraques en mauvais état qui formaient la principale artère de Catacomba. En face de nous était l'hôtel *Lago*, celui que j'avais repéré du haut des airs, avec ses deux étages, ses vérandas courant tout autour de chacun d'eux. Celle d'en haut était couverte d'une marquise, tandis que celle du rez-de-chaussée constituait le passage pédestre normal. Dans la baie, devant l'hôtel, trois véhicules stationnaient; une Land Rover, une grosse Oldsmobile et, inattendue, une énorme moto noire, une 1 200 cc Harley, avec sa direction large comme des cornes de buffle et son échappement brillant se prolongeant vers l'arrière. Un grand tapis de sol imperméable était étendu du guidon à la selle et un paquet se trouvait sur le tansad.

Pedro nous conduisait, pataugeant dans la boue jusqu'aux chevilles. Il enleva le tapis de sol de sur la moto et le mit sur lui. Le paquet contenait un casque de sécurité avec masque transparent et il s'en coiffa.

Je montai dans l'Oldsmobile avec Helga près de moi sur le siège arrière. Rhona, devant, était à côté de Juanita Malone qui conduisait. Les deux autres, Fletcher Whimple et son fils Ricardo prirent la Land

Rover et se préparèrent à nous suivre. Par le pare-brise, je regardai Pedro enjamber la selle de la Harley et mettre en marche. Un bref coup d'œil derrière lui et il lança la moto, soulevant de sa roue arrière de copieuses éclaboussures. Elle eut vite contourné l'église et nous ne la vîmes plus, bien qu'elle se fît toujours entendre.

Juanita démarra en première, suivie de la Land Rover. Où allions-nous? Aucune idée.

Sortis de la ville, nous prîmes la direction de la montagne embrumée, suivant des traces de pneus à travers cailloux et blocs de pierre. Devant nous de larges plaques de neige adhéraient au sol.

Bientôt le moteur s'échauffa et la température à l'intérieur s'adoucit. C'était toujours cela de moins en fait d'inconfort.

— L'estancia est-elle loin d'ici? demanda Helga.

— Vingt-six kilomètres, répondit Juanita par-dessus son épaule. Avec le temps qu'il fait, il faut compter deux heures. (Après un silence elle ajouta :) Mon père vous a déjà rencontrée quelque part, Madame?

— Qui est votre père, Miss Malone?

La question semblait dérouter la jeune fille. Elle eut un petit haussement d'épaule.

— Il se nomme Thomas Malone, dit-elle seulement.

— Où est-il actuellement?

— A Buenos Aires, dit la fille, pour y vendre sa statue.

Helga se raidit visiblement. Rhona reprit d'une voix mesurée :

— Ainsi Catacomba n'est qu'une impasse. Juste un appât pour nous mettre hors du chemin.

Je fis un effort pour ne pas ajouter : comme j'ai eu l'honneur de vous le dire.

Helga se pencha en avant, tâtonnant pour saisir Rhona par l'épaule.

— Il faut absolument que nous retournions à Buenos Aires.

— Pourquoi? demanda Juanita. Vous venez seulement d'arriver ici.

La question paraissait raisonnable.

— Cette statue que votre père veut vendre, demanda Rhona, n'est-elle pas en marbre blanc? Un nu de grandeur naturelle? Les poings enchaînés ensemble derrière la tête.

— Exactement, dit Juanita, la Vénus enchaînée. Est-ce pour cela que vous êtes venues ici?

Helga haletait de rage et de déception. Sa haine montait en elle. Elle parla d'une voix sifflante.

— Oui, Miss Malone, c'est la raison de ma venue. Cette statue m'appartient. Votre père... On me l'a volée. C'est ce qui m'a fait venir ici.

La fille continua de conduire sans répondre pendant un moment. Elle dit enfin :

— Ce n'est pas possible.

— Pourquoi, pas possible?

— Parce que c'est mon père qui a fait faire cette statue, il a payé lui-même le sculpteur.

— Miss Malone... (Helga dominait son émotion et s'efforçait de parler calmement.) Le sculpteur de la Vénus enchaînée est mort depuis trois mille ans.

— Non, dit la fille en secouant la tête avec assurance, la statue que mon père vend à Buenos Aires a été faite par Léon Turkel.

Un silence suivit. Helga recevait le coup. Enfin elle articula.

— Turkel!...

C'était le faussaire qui était venu la voir à Londres et la persuader de lui laisser copier tout ce qui avait trait à la description et aux mesures de la statue.

— Est-ce à dire que Rider est en train d'acheter un faux? demandai-je.

— *Ach, mein Gott*! s'exclama Helga dans un éclat de rire.

— Ça n'est pas possible, dit Rhona.

— Si c'est cela, dis-je à Helga, votre opinion sur Eliphantis était pour le moins inexacte, non?

Helga fronçait les sourcils.

— Je ne comprends absolument pas, dit-elle.

— C'est pourtant clair, fis-je. Cette expédition à Catacomba n'est pas seulement un leurre. C'est un point final à toute cette affaire. Si ce gars d'ici offre de vendre un faux, c'est qu'il n'a jamais eu l'original. Ce qui veut dire que ce n'est pas le personnage que vous cherchez, Helga.

— Vous marquez un point, dit-elle, pourtant il y a autre chose.

— Quoi?

— Le vieux. Fletcher Whimple... Il était à Coblence en 1945.

— Comment le savez-vous?

— Sa voix, ses manières, tout!... Je n'ai oublié aucun d'eux.

— Ce n'est pas... dit Rhona.

— Non. Pas Eugene Fellender. Un autre, mais l'un d'eux.

Juanita intervint :

— Je voudrais comprendre de quoi vous parlez, tous.

— Vous allez le découvrir, dit Helga avec naturel.

Pendant un moment personne ne parla. Ce fut moi qui repris :

— Et ce n'est pas tout?

— Quoi encore? demanda Rhona.

— Ceci. Pensez-y, Helga. Rider est en train de se faire rouler et puisque nous le savons nous pourrions laisser tomber. Eliphantis m'a dit voici peu de jours qu'on tue pour beaucoup moins que pour dix millions de dollars.

Le silence reprit. On m'avait compris, mais cela ne semblait pas leur suffire. Pourtant ce qui m'importait ce n'était ni la statue de Helga ni son honneur, c'était ma peau à moi et j'avais peur pour elle.

CHAPITRE VIII

L'estancia Malone était située sous le vent de quelques hauteurs arrondies. Elle se signalait par deux magnifiques sapins qui s'enlevaient au milieu d'un bosquet d'autres arbres verts.

La maison était entourée de bâtiments d'exploitation, granges, parcs à moutons, hangars à tonte, toits à porcs, volières, corrals avec des chevaux, une étable à vaches où des animaux se rassemblaient pour l'heure de la traite. Le chemin qui y menait était marqué d'ornières profondes avec, tout autour, d'innombrables traces de chevaux et de bœufs.

Nous dépassâmes quelques gauchos à cheval coiffés de larges chapeaux plats, engoncés dans d'épais vêtements, leur protection contre le vent glacial.

Ils saluèrent Juanita d'un large geste de leurs chapeaux, elle répondit en agitant la main. Un homme qui soignait les animaux dans la porcherie envoya aussi son salut.

En arrivant à la maison, nous vîmes, à main gauche, une grange dont le toit et un côté avaient été remplacés par un vitrage.

— Ça, dit Juanita, c'est la grange qu'on avait aménagée en atelier pour Mr Turkel et où il a fait sa statue. Il y a encore là une bonne partie de son attirail.

La maison semblait un bâtiment assez hétéroclite auquel, avec le temps, on avait ajouté un peu au hasard des appendices, placés au petit bonheur et selon les besoins du moment. Les toits y étaient faits de tôle ondulée. Les grands sapins, à l'arrière-plan, agitaient leurs branches dans le vent. Sur le devant courait une véranda ouverte. Juanita arrêta la voiture devant l'entrée précédée de trois marches boueuses. Une vieille femme aux cheveux noirs guettait d'un air nerveux notre arrivée par la porte largement entrebâillée. La moto était arrivée bien avant nous et, de la Land Rover qui nous suivait, descendirent Fletcher Whimple et Ricardo. Nous montâmes tous et la petite vieille nous fit entrer. Juanita nous avait dit qu'elle était espagnole avec certainement un peu de sang des Indiens d'Araucanie comme la plupart des habitants de la région. C'était la mère de Ricardo, bien qu'elle ne fût pas mariée à son père. Elle se nommait Estelle, ne parlait pas anglais et tenait à l'estancia le rôle de gouvernante.

L'aspect extérieur quelconque de l'estancia ne correspondait pas à son aménagement intérieur confortable. L'antichambre où nous étions entrés donnait d'un côté sur une salle à manger vaste et bien meublée, de l'autre sur un living-room encore plus vaste aux deux bouts duquel d'immenses cheminées de pierre abritaient de grands feux faits de troncs entiers.

Débarrassés de nos épaisses combinaisons faites pour les vols antarctiques nous nous assîmes et la vieille Estelle nous servit du maté bouillant. Un caprice du vent le fit soudain ébranler la véranda : on aurait dit qu'une multitude d'abeilles se jetaient en bourdonnant contre la fenêtre à la française, mais pas le moindre souffle ne pénétra dans cet intérieur calfeutré et douillet.

Fletcher Whimple se versait une rasade d'alcool, Juanita se tenait le dos au feu et disait :

— Eh bien! à présent, pourrez-vous enfin me mettre au courant de vos histoires.

Helga se contenta de dire :

— Mr Whimple...

Le vieil homme leva les yeux.

— Hein? fit-il.

Guidée par le son de la voix, Helga se tourna vers lui et dit :

— Vous savez qui je suis.

Il la regarda sombrement, comme avec répulsion et méfiance, but une autre gorgée, et sa pomme d'Adam monta et descendit le long de son cou de héron.

— Qu'est-ce que vous voulez dire? demanda-t-il enfin d'une voix rauque.

— Vous étiez là, à Coblence, en 1945.

L'homme se versait de nouveau à boire.

— Lequel êtes-vous? Vous étiez cinq. J'ai retrouvé vos noms par les services américains. Eugene Fellender, le sergent; le soldat de la 1re classe Lawrence Gaunt; le soldat de 1re classe Hayward Carpenter Junior; le soldat Thompson; le soldat Charles Edward Bryce. Lequel de ceux-là êtes-vous, Mr Fletcher Whimple?

Quelque chose sembla craquer au-dedans du vieil homme, quelque chose qui jusque-là le soutenait, l'expression terne disparut de ses yeux et laissa place à un air de désespoir.

— Gaunt, dit-il.

— Et Fellender?... insista Helga.

— Thomas Malone, le père de Pedro et de Juanita.

— Et les autres?...

— Deux sont morts. Bryce s'est tué voici a peu près douze ans dans un accident de circulation à Mexico City. Carpenter est décédé d'une pneumonie à Atlanta en Georgie, voici trois ans. L'autre type... comment déjà?

— Thompson, rappela Helga.

— Il s'est vite tiré des flûtes.

Le vieux, lui, tirait machinalement sur sa pipe éteinte.

— En 1945, nous avons passé la statue en Suisse. Deux gars de la Croix-Rouge nous ont fourni les papiers, la licence, tout, pour le retour d'un corps en Amérique. On a pris un cercueil doublé de plomb et tout ce qu'il fallait. On y a mis la statue. D'après les papiers c'était les restes d'un copain tué, qu'on ramenait à sa famille. On a trimbalé ça jusqu'à Lisbonne. Là le Thompson s'est taillé. Il est allé à Gibraltar, puis à Tanger, et on n'a plus jamais entendu parler de lui.

— Ainsi vous n'êtes plus que deux. Vous, le soldat de 1re classe, Lawrence Gaunt, autrement dit Fletcher Whimple et le sergent Eugene Fellender, alias Thomas Malone.

Fletcher fit oui de la tête.

— Mais qu'est-ce que tout ça veut dire? intervint Juanita.

Fletcher la regarda sans la voir, avant de poser les yeux sur sa pipe éteinte.

— Quel âge avez-vous, Miss Malone, demanda Helga.

— Dix-neuf ans.

— Et vous êtes née ici, je suppose?

— Oui. Pedro également.

— Dites-moi, quel est votre plus ancien souvenir concernant la statue dont nous parlons?

La fille réfléchit un moment.

— Ça doit être quand j'avais huit ou neuf ans. En tout cas avant que j'aille à l'école. Vers 1958 à peu près. Ils ont amené ici tous ces gros blocs de marbre, et Mr Turkel s'est mis au travail.

— Et la seule statue que vous avez vue ici, c'est celle qu'a faite Turkel? Il n'y en a pas eu une autre? interrogeai-je.

— C'est bien ça, affirma Juanita.

— Comment expliquez-vous cela, Mr Whimple? dit Helga.

Le vieil homme émit un rire lent et sans joie puis déclara :

— L'original est dans le lac Catacomba par quatre cents mètres de fond. (Il s'arrêta, mais laissant digérer la nouvelle. Enfin, il ajouta :) Perdu pour toujours.

Helga gardait un silence atterré. Rhona et moi nous dévisagions Whimple.

— Vous mentez, s'écria Helga.

— Non, dit-il en secouant tristement la tête, je ne mens pas.

— Si, vous mentez, répéta Helga.

— Madame, vous connaissez Turkel et sa manière de travailler, si j'ai bien compris. Croyez-vous qu'il se serait amusé à reconstituer d'après des documents la Vénus enchaînée, si l'original avait existé?

— Mais comment diable est-ce possible? s'exaspéra Rhona.

— Nous avons amené d'Europe cette statue dans le cercueil, comme je vous l'ai dit. Par raisons de sécurité, nous sommes convenus de laisser passer cinq ans avant de chercher à la vendre. Nous avons donc maintenu l'histoire des restes de notre compagnon d'armes. Puis, arrivés ici, on a monté une cérémonie funèbre, avec prêtre, messe de requiem et tout. Nous avons commis une seule faute. Avant de l'enterrer nous n'avons pas résisté au désir de rouvrir le cercueil pour un dernier regard à la statue. Et pendant qu'il était ouvert, ce cercueil, quelqu'un — il regarda Juanita en parlant — quelqu'un qui n'aurait pas dû être là : ta mère, Juanita, vit ce qu'il y avait dedans. La cérémonie eut lieu, le cercueil fut enterré au cimetière à Puerto Catacomba. Mais cette femme était tourmentée par ce qu'elle avait vu. Cela pesait sur sa conscience. Pendant deux ans elle ne dit rien. Pendant deux ans, elle vécut, somme toute, heureuse avec Eugene Fellender. Mais au bout de ce temps leur ménage n'allait plus si bien. Et juste après ta naissance, Juanita, ta mère est allée trouver le prêtre et lui a dit ce qu'il y avait dans le cercueil.

Il s'arrêta pour se verser une nouvelle rasade, regarda de mon côté et demanda :

— Vous en voulez?

— Oui, merci.

— Servez-vous.

Il laissa la bouteille ouverte sur la desserte et j'allai me verser un verre.

Ce prêtre, — qui d'ailleurs est encore là — reprit Fletcher, est de la race des paysans de par ici, vous comprenez, simple, superstitieux, ignorant. L'idée d'une déesse païenne enterrée chez lui, en terre bénite, le terrifiait, ça le rendait enragé. Une nuit, avec quelques-uns de ses paroissiens qu'il avait rassemblés et endoctrinés, ils ont déterré le cercueil, sorti la statue, l'ont mise dans un bateau qu'ils ont conduit au milieu du lac et ils l'y ont jetée.

— Oh! Dieu du Ciel, murmura Helga.

Et Rhona lui prit le bras pour la guider vers un siège sur lequel elle se laissa tomber.

— Cette nuit-là, dit Fletcher, l'espèce humaine a fait une perte irréparable. C'est Léon Turkel qui a dit ça quand il a appris cette histoire.

— Seigneur! Seigneur!... continuait de hoqueter Helga.

— Ma mère a fait cela? demanda Juanita.

— C'était une femme simple, reprit lentement Whimple. Sa religion était tout d'une pièce, fruste mais profondément ancrée. Elle n'a jamais eu votre éducation à toi, à Pedro, ni à mon fils Ricardo. Elle, le prêtre, les autres, ils ont tous agi sans savoir ce qu'ils faisaient. Cette statue, c'était une des plus belles choses jamais créées de main d'homme. Celle que tu as vu faire à Turkel ici n'est qu'une copie, une reproduction mathématiquement exacte.

— Tandis que, dit Helga, l'auteur de l'original avait copié l'œuvre de Dieu.

— Et cette statue-là, c'est à vous qu'elle appartenait? reprit Juanita.

Helga ne répondit qu'en hochant la tête.

— Et mon père, et Fletcher, et les autres dont vous avez parlé, c'est eux qui vous l'ont volée?

— Oui, dit Helga avec ressentiment.

Juanita resta silencieuse, abîmée dans ses réflexions.

— Au moins, dis-je à Rhona, cela explique-t-il qu'ils aient mis tout ce temps avant d'essayer de la vendre.

Soudain Juanita dit avec décision :

— Je retourne tout de suite à Catacomba.

— Maintenant? Mais la nuit va tomber, objecta Whimple.

— Maintenant, dit la jeune fille. Je veux entendre cette histoire de la bouche du père Francisco.

— Attendez, s'exclama Helga.

Mais Juanita était déjà hors de la pièce.

Comme elle en sortait, Pedro et Ricardo y pénétraient.

— Où va-t-elle? demanda Pedro en se dirigeant droit vers la bouteille.

La vieille Estelle entra à son tour et dit quelque chose, en espagnol. Rhona lui répondit, se leva et s'approcha de Helga.

— Elle va vous montrer vos chambres.

Les femmes parties, je demeurai avec nos hôtes.

— Qu'êtes-vous pour ces deux femmes? demanda Whimple.

— Miss Beckwith est en quelque sorte ma fiancée.

— Autrement dit, vous vous l'envoyez, déclara Pedro.

Je le regardai un instant, la respiration oppressée cherchant à ravaler ma subite colère. Quand je me sentis un peu plus maître de moi, je lui enjoignis :

— Surveille ta langue, mon garçon.

— Ho, ho! insista-t-il d'un air moqueur, il se l'envoie vraiment...

Je posai mon whisky sur la desserte et, les poings en avant, marchai sur le gars. Il tira vivement son pistolet de son étui et me visa en l'armant du pouce. Je m'arrêtai.

— Tu es diablement mal embouché, mon garçon.

Maintenant laisse ce pistolet, et nous allons voir si tu as autre chose que du jus de navet dans les veines.

— Ne m'appelez pas « mon garçon », dit-il dans un murmure.

Et il ne souriait ni ne raillait plus.

Fletcher Whimple s'avança entre nous.

— Du calme, dit-il en s'adressant à moi.

— Alors qu'il ferme sa gueule puante.

Il se tourna vers lui.

— Fiche-lui la paix, Pedro.

Au bout d'un instant, Pedro recula et tourna le dos.

— Je lui ficherai la paix, Fletch, susurra-t-il.

A nouveau il me fit face. Il tenait le pistolet de sa main droite et faisait de la gauche tourner le barillet.

— Tant qu'il ne mettra pas le nez dans ce qui ne le regarde pas. Sinon, je lui fais sauter sa cervelle de pouilleux.

Il remit le pistolet dans sa gaine et quitta la pièce.

Ricardo Whimple m'examinait d'un air étrange. La fixité de son regard décelait en lui quelque chose d'anormal.

— Je n'ai encore jamais entendu personne parler sur ce ton-là à Pedro, me dit-il.

— Ce Pedro est un cinglé.

Et je repris mon verre.

— Quand Pedro a quelqu'un dans le nez, il l'a bien. Et je crains, Dockery, que ce ne soit le cas pour vous. Je voudrais, ma parole, que vous ne soyez jamais venu ici.

— Mais je ne demande qu'à m'en aller, Mr Whimple, dis-je avec empressement. Donnez-moi quelqu'un pour me reconduire en ville.

— Malheureusement, c'est trop tard, vous êtes ici. A l'hôtel il y a le téléphone, et j'ai pour consigne de vous tenir, vous et les deux dames, hors du circuit pendant deux jours. Facile à deviner pourquoi : Malone est en train de soutirer dix millions de dollards à Rider à Buenos Aires, et maintenant que vous êtes au courant, l'un de vous trois serait capable de tout fiche en l'air. Alors, il y a pas le choix, faut que vous restiez ici. Et faut que je veille à vous y garder en sûreté. Et j'aime pas ça du tout!

— Vous en faites pas pour moi, pépé, dis-je cordialement. Ou si vous voulez vous tracasser pour quelqu'un, que ce soit pour Pedro.

Ricardo me regardait, un sourire sur son épais visage. Il me demanda :

— Vous croyez être plus fort que Pedro?

— Voulez-vous vous laver les mains avant de dîner? me demanda le vieil homme.

— Où dois-je aller?

Il me conduisit à une petite chambre meublée d'un lit étroit, d'une chaise et d'une commode sur laquelle était posée une lampe à pétrole.

— Voilà votre crèche, dit-il.

La salle de bains était au bout du couloir. Il me la fit voir et me laissa.

Quand j'en ressortis, la porte voisine de celle de ma chambre s'ouvrit. Rhona en sortit. Elle me regarda un moment, vint à moi et m'étreignit. Je l'embrassai, la fis entrer chez moi et refermai la porte.

— Je n'aime pas cette maison, murmura-t-elle.

— Moi non plus, dis-je en allumant une cigarette. Mais, à moins que nous ne puissions faire remplir les réservoirs de l'hydravion, je ne vois pas comment la quitter. A moins que Helga n'ait une idée?

Rhona s'assit sur le bord du lit en secouant la tête.

— Elle n'a rien dit. (Et, levant son regard vers moi :) Jim, j'ai peur!

Je m'assis auprès d'elle et entourai ses épaules de mon bras.

— Pour être franc, moi aussi.

— Mais je ne crois pas que ce soit pour la même raison.

Se dégageant de moi, elle se remit debout et me fit face.

— Moi, j'ai tout bêtement peur pour ma peau. Elle risque avant peu d'être perforée par un pruneau de 44. Et vous, de quoi avez-vous peur?

— Pour nous deux.

— Evidemment, si j'ai un pruneau dans le crâne, c'en sera fini de nous deux.

— Vous ne comprenez pas!

— Ah?

— Quand cette affaire sera réglée, Jim, je serai toute à vous, et à jamais. Pour le moment, j'appartiens à Helga.

Je commençais à comprendre et je m'en sentais malade.

— Elle peut faire de vous... tout ce qu'il lui plaît?

Rhona baissa les yeux.

— C'est comme ça, Jim, et ça ne peut pas être autrement.

— Je suppose qu'elle a toujours l'intention d'exécuter ces deux bonshommes. Et maintenant que vous avez vu ce pauvre vieux pitre de Whimple, vous commencez à comprendre la stupidité, l'idiotie, la puérilité de Helga, et vous vous croyez tout de même tenue de l'aider?

Elle me dévisageait sans répondre.

— Mais regardez cette loque, ce Whimple qu'elle veut supprimer ce n'est plus de la justice, même pas une vengeance. C'est de la folie, ni plus ni moins. Ce type-là est au bout du rouleau. Qu'est-ce qu'il a eu dans la vie? Ce Ricardo, un fils à moitié idiot! Même s'il a sa part des dix millions de dollars, que voulez-vous qu'il en fasse à son âge? Il aura passé un quart de siècle dans ce bled abandonné de Dieu. Vous ne trouvez pas qu'ils ont payé à présent ce qu'ils ont fait à Coblence en 1945? Tenez, votre Helga, elle est folle à lier, c'est un cabanon qu'il lui faudrait. Et vous vous croyez obligée de l'aider?

La porte s'ouvrit à cet instant précis. Helga était sur le seuil.

— Je loge dans la chambre à côté, Jim, dit-elle. Et la cloison est très mince.

— Alors tant mieux, Helga, j'espère que vous n'avez pas perdu un mot de ce que je viens de dire.

— C'est le cas. (Et tendant la main devant elle en direction de Rhona :) — Chérie, veux-tu me mener dîner.

Rhona sans plus me regarder prit la main de Helga. Les deux femmes sortirent, et la porte se referma sur moi.

Ainsi, voilà ce qu'elle voulait dire, quand elle déclarait avoir peur pour elle et pour moi. Ni raison, ni prière, ni menace, ni promesse, rien ne fléchirait Helga. Elle ferait ce pourquoi elle était venue. Et Rhona, qui avait vécu toute sa vie avec elle, avait été élevée dans le but de satisfaire la haine de sa mère, d'exécuter son désir de vengeance, Rhona devait suivre.

Les petites filles s'entendent dire ordinairement que plus tard elles se marieront et auront des enfants; ou bien qu'elles iront à l'université; qu'elles seront championnes de tennis, voire reine d'Angleterre; qu'elles seront célèbres et auront leur photo sur les couvertures des magazines. Elle, Rhona, s'était entendu répéter que le jour viendrait où elle rencontrerait l'homme que maman haïssait et qu'elle aiderait maman à le tuer. C'était miracle que cette petite n'ait pas complètement perdu l'esprit.

Ni Pedro ni sa sœur n'étaient là pour dîner avec nous. Mais Pedro apparut vers le milieu du repas. Il se mit à manger sans parler, mais non sans bruit.

Il arrachait les lambeaux d'un imposant rôti placé sur la table et les ingurgitait à la façon des gauchos. C'est-à-dire qu'il en plaçait l'extrémité dans sa bouche et coupait adroitement le morceau au ras de ses lèvres avec un couteau de dix-huit pouces, seule pièce du couvert dont il se servît. Ricardo l'imitait, et tous deux déglutissaient la nourriture à l'aide de grandes lampées de vin rouge très âpre. Pedro mangeait encore de cette manière peu protocolaire quand le reste de la compagnie se leva de table et passa au salon où Estelle servit le café.

Au-dehors, dans la nuit, le vent hurlait autour de la maison, tourmentant les arbres. Je me sentais mieux après le repas, mais ne me tenais pas pour rassuré. Le café versé dans les tasses, Whimple s'adressa à Helga :

— J'ai une proposition à vous faire, Frau von Thallin.

— Oui?

— Au nom de Thomas Malone et de ses associés.

Les lèvres de Helga se refermèrent et son visage se raidit.

— Vous savez maintenant, bien sûr, à quel prix est offerte la Vénus enchaînée. Ça va chercher dans les dix millions de dollars...

Le vieil homme parlait sans hâte, tirant sur sa pipe et sirotant son café, mais il semblait nerveux.

— Voici la proposition : si l'affaire se conclut, Thomas demande d'abord vingt pour cent de la somme, afin de couvrir les frais divers de l'opération y compris les honoraires dus à Léon Turkel.

Il reprit haleine. Visiblement il récitait un morceau appris par cœur, d'un ton posé, précis, celui d'une proposition bien étudiée.

— Les quatre-vingts pour cent restants, Thomas propose de les partager moitié-moitié entre vous d'une part, lui et ses associés de l'autre.

Whimple fit une nouvelle pause, le temps de bourrer une autre pipe, se recueillant pour articuler la dernière clause.

— Ceci, reprit-il enfin, à la condition que vous retourniez chez vous et oubliiez cette histoire. (Et détachant bien ses mots, il répéta :) — Vous oubliez tout, absolument tout. Vous me comprenez bien?

Helga souriait sinistrement.

— Me comprenez-vous, Frau von Thallin, insista Fletcher.

— Et si je rejette cette offre magnifique? demanda-t-elle très calme.

— Alors ce sera à Mr Malone de décider, quand il reviendra.

— Quand doit-il revenir?

— Dans deux ou trois jours, dit Whimple en haussant les épaules.

— Où en sont les pourparlers, le savez-vous?

— Non.

— Pensez-vous vraiment, intervins-je, que Malcolm Rider lâchera dix millions de dollars, sur simple avis d'Eliphantis.

— Ça, c'est l'affaire d'Eliphantis.

Il sembla penser que c'était possible.

— Comment?

— Pas la moindre idée. Je n'ai jamais rencontré ce type.

— Et puis, pourquoi?

— Que voulez-vous dire?

— Pourquoi Eliphantis fait-il ça? Quel bénéfice en tirera-t-il?

— Simplement sa commission habituelle, autant que je sache.

— Ce qui ne pèse pas lourd auprès des embêtements qu'il aurait s'il était accusé de vendre un faux.

— Ainsi vous pensez, dit Helga en s'adressant à moi, que Eliphantis doit avoir une autre raison. Je le crois aussi. Il risque sa réputation pour un million de dollars au maximum, alors qu'il en possède je ne sais combien de fois plus. Ça n'a pas l'air naturel.

— Ma foi, je n'ai pas eu à considérer cet aspect de la question, dit Whimple. C'est pas mon affaire, je ne sais que ce que je vous ai dit.

— Vous avez parlé d'associés, Mr Wimple, dit Helga. Thomas Malone et ses associés. Vous êtes l'un d'eux vraisemblablement, mais qui sont les autres?

— Il y en a un autre. Il désire rester anonyme.

— Ça ne me surprend pas! Quelque chose m'a toujours étonnée dans ce crime. Le caveau du château contenait de nombreux objets d'art et des bijoux, faciles à emporter. Et vous n'y avez pas touché. Vous n'avez pris que la statue. Aucun de vous n'était expert en matière d'art surtout en matière de sculpture grecque antique. Il a fallu que quelqu'un vous en parle, vous dise que cette statue valait à elle seule plus que tout le reste ensemble. C'est bien cela?

Whimple resta muet.

— C'est donc bien cela. Et celui qui vous a renseignés est le deuxième associé de Mr Thomas Malone... celui qui veut à présent rester anonyme.

Whimple se taisait toujours. Lèvres serrées, il regardait fixement l'aveugle.

— Il n'a pas besoin de rester caché plus longtemps, car je sais qui il est : le colonel baron Otto von Zarnow.

— Helga, murmurai-je, vous plaisantez, j'espère!

— Pourquoi, James?

— Parce que nous sommes dans le pétrin jusqu'au cou et que je pensais que, seul, Otto von Zarnow pourrait éventuellement nous en tirer.

— Vous pouvez en faire votre deuil.

Rhona posa sa main sur la mienne et la serra. Cela me réconforta un peu... mais très peu en vérité.

— Vous allez accepter l'offre, Madame?

C'était Pedro qui intervenait. Il faut croire qu'il avait terminé son dîner et il se tenait maintenant derrière la chaise sur laquelle j'étais assis.

Helga ignora sa question et continua de s'adresser à Whimple.

— Si vous ne m'aviez pas rendue aveugle, j'aurais tout oublié depuis longtemps. Vous auriez pu garder la statue, je n'aurais pas cherché à la reprendre. Mais vous ne pouvez pour quatre millions de dollars, pas plus que pour quarante, réparer ce que vous m'avez fait. Dites cela de ma part, à Mr Malone et au colonel baron.

A ce moment, le hurlement du vent devint assourdissant, car la porte d'entrée venait de s'ouvrir.

Un instant plus tard, Juanita Malone arrivait, le visage animé par le froid. Elle traversa toute la pièce et vint droit à la cheminée.

— Où étais-tu, p'tite sœur? demanda Pedro.

— Sortie.

— Tu es folle! Sortie par ce temps-là! As-tu au moins rentré la voiture et fermé le garage?

— Oui.

— Bon, dit Pedro satisfait. Alors, Dockery, pour le cas où il vous prendrait fantaisie d'aller vous promener au milieu de la nuit, la clé du garage sera sous mon oreiller.

Il s'arrêta pour glousser, amusé à l'idée que je tenterais de prendre cette clé sous sa tête et qu'il me déchargerait son pistolet dans le ventre.

— Allons, poursuivit-il, je vais me coucher, il est tard. A demain, si pas avant.

Et, à mon grand soulagement, il s'en alla.

— Moi, je vais me faire quelque chose à manger, dit Juanita. Rhona, ajouta-t-elle d'une façon inattendue, venez que je vous fasse voir notre cuisine?

Rhona, prise au dépourvu, hésita une seconde, puis dit :

— Oui... volontiers.

Et elle suivit Juanita hors de la pièce.

— Je crois que je vais aller me pieuter, dit Whimple.

Puis d'un ton grave, il s'adressa à Helga :

— J'espère, Ma'am, que vous allez revenir sur votre décision concernant notre proposition.

— N'y comptez pas, Mr Whimple. Pour ce que vous m'avez fait, vos compagnons et vous, mon intention est de vous voir payer beaucoup plus que quatre millions de dollars.

Une expression inquiète, soucieuse passa dans le regard du vieil homme, mais il se retira sans rien ajouter.

Helga également partie, il ne restait plus que Ricardo et moi. Nous plaçâmes entre nous une bouteille d'alcool. Deux heures après il n'en restait rien.

Comme je montais me coucher, je vis dans le corridor Juanita qui sortait de la chambre occupée par Helga et Rhona. Son visage ruisselait de larmes.

CHAPITRE IX

Dans la matinée, après avoir pris notre petit déjeuner, nous étions tous là en train de boire du café et de fumer. Je me tenais près de la fenêtre, regardant la tempête s'abattre sur la cime des montagnes, à l'est de l'estancia. J'entendis Helga déclarer :

— Je veux aller à Puerto Catacomba ce matin.

— Pourquoi? demanda Pedro, d'un ton soupçonneux.

— Je désire parler au prêtre, au père Francisco.

— A quel sujet?

— Je tiens à savoir exactement ce qu'il a fait de ma statue. Votre version ne me suffit pas, Mr Malone, je veux entendre de la bouche du prêtre ce qui s'est passé.

— Je comprends, dit Pedro avec un petit rire, vous ne croyez pas notre histoire.

Helga ne répondit rien et Juanita Malone dit :

— Je vous conduirai, Frau von Thallin.

— Rhona m'accompagnera. J'ai besoin d'une interprète. Je ne parle pas l'espagnol.

— Très bien, concéda Juanita.

Puis, s'adressant à son frère :

— Ça te va?

— J'sais pas. Je n'ai guère confiance en ces deux dames.

Fletcher Whimple intervint :

— Si tu emmènes Ricardo, Juanita, tout ira bien.

La jeune fille se rebiffa.

— Pourquoi devrais-je emmener Ricardo? Vous croyez que je ne pourrai pas me débrouiller avec elles, ou quoi?

— Elles sont deux contre toi, p'tite sœur. Ou tu emmènes Ricardo, ou tu n'y vas pas, insista Pedro. Et arrange-toi pour ne pas t'approcher d'une cabine téléphonique et pour les laisser parler à personne, sauf à ce foutu prêtre. Compris?

Ils s'en allèrent dans l'Olds, et je passai la matinée à errer sans but. Pedro avait donné l'ordre à l'un des domestiques de l'estancia de lui seller un cheval et avait disparu quelque part en direction de l'ouest. J'aurais bien voulu le savoir absent pour toute la journée, mais je l'avais entendu prévenir Estelle qu'il serait de retour pour le déjeuner. Devant la maison et sur l'un des côtés de la cour, il y avait un hangar en tôle, à trois pans, plein de bois à brûler. Il s'y trouvait une petite hache. J'avais bonne envie de la prendre et d'aller écraser le crâne de Fletcher Whimple, puis de me mettre en quête d'une arme à feu — il devait bien y en avoir une dans la maison — pour faire sauter la tête de Pedro dès qu'il serait à portée. Au lieu de cela, je me contentai de fendre deux ou trois bûches pour la cuisine, histoire de me défouler un peu.

Je regardai par la paroi vitrée, à l'intérieur de la grange, qui avait été transformée en atelier pour ce sculpteur, ce Léon Turkel qu'ils avaient engagé. L'endroit était un véritable bric-à-brac.

Puis, vers deux heures, les femmes revinrent de la ville et Pedro de sa randonnée à cheval. Nous prîmes place autour de la table pour le déjeuner.

Pendant le repas, Juanita dit à Pedro :

— J'emmènerai Rhona faire une promenade à cheval cet après-midi.

Où penses-tu aller?

— Jusqu'à l'Arba Gloria, dit-elle, puis elle s'adressa à Rhona : De là, vous verrez le glacier.

— Eh ben! mais c'est parfait, p'tite sœur. Mais tu prendras bien garde à toi, hein?

— Sois tranquille, répliqua Juanita d'un ton agacé.

— Je voudrais bien moi aussi voir le glacier, hasardai-je.

Pedro me dévisagea et émit un grognement.

— Vous n'irez nulle part, mon salaud, et si vous essayez de vous éloigner, je vous abats comme une bête puante. Mettez-vous bien ça dans le crâne. (Puis il dit à Rhona :) Et vous, Miss Beckwith, n'essayez pas de jouer à la maligne avec ma sœur, parce que, l'attitude chevaleresque et moi, ça fait deux et, pour peu que vous m'en fournissiez la raison, je vous ferai sauter la cervelle aussi rapidement que je ferai sauter celle de Dockery.

Je commençais à en avoir plein les bottes de ce salopard et il faudrait bien que ça éclate. Je n'allais pas continuer longtemps à me laisser traiter ainsi par lui.

Les deux filles partirent et, de la fenêtre du living-room, je les regardai s'éloigner au petit galop à travers les champs. Helga entra dans la pièce, cherchant d'une main son chemin à travers la porte ouverte et tenant de l'autre une tasse de café. Elle interrogea :

— James, êtes-vous ici?

— Oui, je suis là.

Je la conduisis jusqu'au canapé et posai sa tasse sur le guéridon. Puis je lui demandai :

— Qu'avez-vous appris du prêtre?

Elle eut un sourire ironique qui me surprit. Je ne voyais pas en quoi ma question prêtait à sourire. Fletcher Whimple somnolait dans un fauteuil, à l'autre bout de la pièce, il respirait bruyamment. Helga demanda :

— Qui d'autre se trouve ici?

— Le vieux Whimple. Il dort.

— Ecoutez, James, ce prêtre, le père Francisco, n'est pas du tout l'idiot que s'imagine Malone... ou qu'il a voulu paraître devant Malone.

— Pourquoi dites-vous ça?

— Lui et trois autres hommes ont effectivement exhumé la statue de la tombe où elle était enterrée. Mais, contrairement à ce qu'ils ont dit à Malone, ils ne l'ont pas jetée dans le lac.

— Qu'en ont-ils fait?

La respiration de Helga s'accéléra, puis elle murmura :

— Rien. Ils l'ont emmenée à l'église... et elle s'y trouve toujours.

Il me fallut un moment pour admettre la chose. Puis je jetai un rapide regard sur Fletcher qui ronflait, imperturbable.

— Bon Dieu! dis-je entre les dents.

— Elle y est depuis vingt ans, reprit très bas Helga.

— Comment le savez-vous?

— J'y ai posé les mains, je l'ai palpée, c'est elle.

— Qu'allez-vous faire à présent?

— Où est Pedro?

— Parti à cheval avec Cardo, pour je ne sais où.

— Ils n'ont pas pris la même direction que les filles, n'est-ce pas? demanda-t-elle la voix brusquement inquiète.

— Non, ils se sont dirigés vers l'est. Ils ont parlé d'inspecter un troupeau de moutons ou je ne sais quoi.

— Très bien. (Elle parut respirer mieux.) Quand ils reviendront, je leur parlerai.

— De la statue?

— Oui.

— Croyez-vous que ce soit prudent? Ce cinglé de salopard démolira l'église, tuera probablement le prêtre, et Dieu seul sait quoi encore.

— Non, je sais exactement ce qu'il fera. Tous ces gens ici vivent dans la terreur de Fellender — Thomas Malone, comme ils l'appellent. Aucun d'eux ne lèvera le petit doigt sans lui en parler. Notre seul espoir est de faire venir ici Malcolm Rider et Eliot Eliphantis. Sans cela, si je n'accepte pas l'offre qu'ils me font — et je n'ai pas la moindre intention de l'accepter — ils nous tueront. Cela répugnera à Otto, mais il n'aura pas le choix. Si Rider et Eliphantis sont présents, ils ne nous tueront pas.

— Voilà qui est réconfortant!

— C'est à vous que je pense. A vous et à Rhona.

Je trouvais ça un peu dur à avaler.

— Vous plaisantez, Helga?

— Non, répondit-elle en secouant la tête... J'ai réfléchi à ce que vous avez dit à Rhona hier au soir, dans votre chambre. Je suis d'accord avec vous pour juger pitoyable la situation de ces hommes. Peut-être ont-ils payé par une existence misérable ce qu'ils ont fait à Coblence. En tout cas, je ne veux pas ruiner votre vie et celle de Rhona à cause d'eux. Ils ne valent pas ça. Ils ont détruit mon existence à moi. Je ne peux tolérer qu'ils détruisent la vôtre.

Cela ressemblait bien peu à « cette chère Helga que nous connaissions et aimions tous ». Cela sonnait faux. Mais je dis :

— Je suis content que vous en soyez venue à penser ainsi, Helga. Je regrette ce que j'ai dit hier au soir... mes paroles ont dépassé ma pensée... probablement parce que j'avais peur de perdre Rhona.

— Ce que vous avez dit était exact, dit Helga doucement. Comme vous le souhaitiez, je n'en ai pas perdu un mot et chaque mot était vrai.

— Alors, nous pouvons à présent porter tous nos efforts sur un point : sortir vivants d'ici.

Helga eut un pauvre sourire.

— Au moins Rhona et vous.

— Que diable voulez-vous dire?

— J'ai vécu pour cela trop longtemps, Jim. Je ne peux pas laisser tomber et m'éloigner. Et pour cette même raison, je ne peux accepter leur offre.

— Mais si vous n'abandonnez pas, Rhona n'abandonnera pas non plus...

— Elle fera ce que je lui dirai, dit Helga entre les dents.

Elle me tendit sa tasse.

— Donnez-moi encore un peu de café, voulez-vous?

J'étais sur le point de me lever quand Helga me retint en me posant la main sur le bras.

— Jim, Rhona est le seul être humain que j'aie jamais aimé. Ce que vous avez dit hier au soir m'a fait comprendre que son bonheur, sa vie, devaient passer avant... avant tout ce que je peux vouloir. Au début, ce sera probablement difficile pour Rhona d'accepter que je n'aie plus du tout besoin d'elle, que la façon dont je mènerai la fin de mon existence ne la regarde plus en rien; que dès à présent sa vie est avec vous. Ce sera difficile et elle aura besoin d'une forte dose d'aide et de compréhension de votre part.

J'étais assis, regardant Helga, silencieux. Elle souriait tristement et dit :

— Vous aviez raison, je suis folle.

Du dessous d'un de ses épais verres noirs, une larme coula sur sa joue...

— Je le sais, mais je n'y peux rien.

— Je vais vous verser du café.

Pitoyable, avait-elle dit de la situation de Fletcher et de Malone. Et la sienne aussi l'était. Elle le savait et elle venait de le reconnaître devant moi. Elle était aussi pitoyable que ces deux vieux hommes tristes. C'était inévitable, je suppose, qu'à cause de ce qu'ils lui avaient fait et de la façon dont elle avait réagi, l'existence de Helga et celle de ces hommes aient été soudées. Les fils distincts en avaient été entremêlés en un affreux câble, ceux de la femme et ceux des hommes qui l'avaient violée et torturée. Ils étaient tous pitoyables, mais, sans qu'elle ait commis aucune faute, la vie de Rhona était aussi mêlée aux leurs, inextricablement. J'espérais de tout mon cœur que Helga avait raison et que nous pourrions tirer Rhona de là.

Pedro et Cardo rentrèrent juste après cinq heures, alors qu'il faisait presque nuit. Pedro pénétra tout mouillé et les bottes crottées dans le living-room. Il alla immédiatement se verser un verre d'alcool.

— Je crois que vous devriez vous mettre en rapport avec votre père ce soir, lui dit Helga.

Il avala une rasade, hoqueta puis s'essuya la bouche de la manche. Il posa ensuite ses yeux froids sur Helga et dit :

— Ah, oui?

— Au sujet de la statue... Le prêtre ne l'a pas coulée au fond du lac comme vous le croyez, et je pense que votre père aimerait savoir où se trouve en fait la véritable Vénus enchaînée avant de pousser plus avant l'escroquerie qu'il tente de perpétrer.

Pedro emporta la bouteille et son verre de l'autre côté de la pièce, se laissa tomber dans un des grands fauteuils et demanda :

— De quoi voulez-vous parler?

Fletcher Whimple s'était réveillé. Il dévisageait Helga.

— La statue, reprit Helga, l'original... Quand le prêtre l'a sortie de la tombe, il ne l'a pas jetée dans le lac Catacomba. Il l'a emmenée en son église et elle y est toujours... Elle s'y trouve depuis vingt ans.

Fletcher Whimple s'était levé, la terreur naissait sur son visage.

Sidéré, Pedro n'avala pas la gorgée de bourbon qu'il avait en bouche. L'alcool coula sur sa lèvre inférieure se répandant sur son menton fuyant. Et pour la première fois, je vis une lueur dans ses yeux qui étaient bleus comme une flamme de pétrole. C'était de la peur, le seul sentiment que pouvait éprouver Pedro. Il était décomposé par la peur... la peur de lui-même. La veste de cuir noir, le colt 44, la grosse moto étaient des symboles du pénis et témoignaient que Pedro soupçonnait en lui une grave déficience.

Cardo Whimple m'avait demandé si je croyais être plus fort que Pedro. Il suffirait que je prive celui-ci de son colt et je serais le plus fort. Pedro le savait, c'est pourquoi instinctivement il me détestait. Il se leva, s'approcha de Helga et lui dit d'une voix enrouée :

— Vous mentez!

— Je vous emmènerai là-bas et je vous la montrerai... Tout de suite.

Il y eut un instant de silence, puis Fletcher Whimple dit :

— Eh bien, allons-y!

Il alla chercher l'Oldsmobile. Ricardo s'assit à côté de lui, Helga et moi sur la banquette arrière. Pedro enfourcha sa moto. On m'emmenait parce qu'il n'y avait personne dans la maison, hormis la vieille Estelle, pour me tenir à l'œil. Le vent soufflait toujours et il s'y mêlait de la pluie. La vieille Olds cahotait le long de la piste qui longeait le pied de la Cordillera. Je demandai à Helga si Rhona avait vu la statue.

— Non, me répondit-elle. J'ai voulu que le prêtre m'entende en confession. Je lui ai dit qui j'étais et pourquoi j'étais ici. Alors, il m'a parlé de la statue et m'a emmenée sous l'église, là où elle se trouve. Les filles étaient restées à l'extérieur. Elles ne savent rien encore.

— Il parle donc anglais, ce prêtre?

La question déconcerta Helga une seconde. Puis, un peu agacée, elle répliqua :

— Je connais assez d'espagnol pour me faire comprendre.

Je savais qu'elle ne parlait pas du tout l'espagnol. Quelque chose clochait dans son histoire. Helga von Thallin manigançait Dieu seul savait quoi.

Nous traversâmes les collines, franchîmes un col

et distinguâmes à nos pieds le lac Catacomba, large tache noire avec un vague reflet lumineux produit par la glace. La ville était au-dessous de nous, indiquée seulement par quelques rares lumières qui transperçaient la pluie froide. Nous nous arrêtâmes devant l'église qui était dans l'obscurité la plus complète.

Nous descendîmes de voiture et Helga interrogea :

— Où sommes-nous?

— La porte de l'église est droit devant vous. Nous sommes au bas du perron.

— Par ici, dit-elle.

Et elle nous emmena sur le côté du bâtiment. Pedro et sa moto s'y trouvaient déjà : sous une étroite ouverture vitrée à travers laquelle scintillait la flamme d'une chandelle. A côté de la fenêtre, il y avait un portail cintré où s'encastraient de massives portes en bois et de gros anneaux de cuivre leur servant de poignées. Des taches grises dans le noir témoignaient vaguement de la présence de tombes. La pluie mêlée au vent s'abattait à travers les branches des hauts arbres et faisait tinter lugubrement la cloche.

— Il y a une porte quelque part ici, dit Helga, qui dut presque crier pour que sa voix domine celle du vent.

Pedro gravit les marches, tourna le gros anneau de l'une des portes et la poussa. Nous entrâmes dans une pièce aux murs de pierre. Un crucifix ornait l'une des parois et, au-dessous, sur une petite table, brûlait le cierge que nous avions vu luire de l'extérieur. Il y avait toute une boîte de cierges sur la table.

Fletcher Whimple avait une lampe torche. Nous allumâmes tous un cierge, à l'exception de Helga. De cette pièce une porte s'ouvrait sur un endroit absolument obscur. Fletcher prit la tête du groupe et sa lampe balaya des murs de pierre grossièrement taillée. Un escalier ancien, usé, descendait. Guidant Helga d'une main, tenant mon cierge de l'autre, je suivis le vieil homme. Au fur et à mesure que nous descendions, la température paraissait s'élever. Au bas de l'escalier, nous nous trouvâmes dans une sorte de caveau d'où partaient les piliers du mur chevet est de l'église, au-dessus de nous. La pièce était remplie de toiles d'araignées, d'objets recouverts de poussière et il y faisait chaud, voire étouffant. Je dégrafai ma canadienne.

— Ce sont les sources chaudes, expliqua Fletcher. Elles jaillissent juste au-dessous de l'église.

Sur les indications de Helga, nous passâmes de cette pièce dans un étroit couloir où nous dûmes avancer de biais comme des crabes.

Pedro Malone se cogna la tête contre un support de lampe en fer, fixé au mur, et jura comme un chiffonnier. Il faisait à présent si chaud que, habillés comme nous l'étions pour l'hiver patagonique, nous transpirions à qui mieux mieux. Finalement, nous arrivâmes dans un passage plus large, qui ressemblait un peu à un tunnel ou à une caverne naturelle. Le sol et les parois laissaient passer de la vapeur bouillonnante et qui formait une sorte de buée. Le sol était légèrement incliné et, au bout du tunnel, se trouvait une porte de fer à barreaux, fermée par une chaîne et un cadenas. Les barreaux avaient, sous l'effet de quelque dépôt corrosif, pris des formes grotesques.

— Qu'est-ce que c'est? demanda Fletcher Whimple.

Helga expliqua :

— Ces barreaux ont été posés parce que l'un des

prêtres de cette église est descendu ici un jour dans l'obscurité...

Elle n'eut pas à compléter son explication. Nous apercevions à présent la boue à travers les barreaux, et à la lumière de la lampe de Fletcher de larges puits de boue chaude et fumante.

— Le prêtre est tombé dans l'un de ces puits? interrogea Ricardo.

— Oui, répondit Helga. Alors, ils ont barré l'accès.

Il y avait entre les puits des passages de terre et de lave, mais je me rendais compte qu'essayer de les franchir dans l'obscurité serait un exercice périlleux. Il faisait atrocement chaud, et je clignais des yeux pour éviter d'être aveuglé par la sueur. A distance, derrière les barreaux, on entendait un bruit ressemblant à celui de vagues qui se brisent paresseusement.

D'une voix enrouée par l'émotion, Helga demanda :

— Vous voyez la statue?

On eût dit qu'elle surgissait de l'ombre à l'extrémité du plus large des puits de boue. Ce ne fut d'abord qu'une forme indéfinie vue à travers un rideau de brume. Puis, brusquement, elle parut se solidifier et nous la vîmes, toute blanche, qui brillait à travers les barreaux de la cave. Elle paraissait aussi fraîche, aussi jeune, que le jour où elle avait quitté l'atelier du sculpteur, trois mille ans plus tôt, pour réapparaître ici, sous la terre d'un pays dont son créateur ne soupçonnait même pas l'existence.

A travers les barreaux tordus, déformés comme des doigts arthritiques, nous regardions ce visage qui avait, lors de la guerre de Troie, fait s'affronter des centaines de navires. Il était sensuel, vivant, avec une bouche pleine, mais tendre aussi et comme dans l'expectative : froid, mais brûlant d'une sorte de passion sereine. C'était le visage qui avait hanté les rêves des hommes depuis que les hommes ont appris à rêver. Cette femme avait été chérie de Pâris et de Ménélas. Grâce à elle, Homère avait composé quelques-uns des plus beaux poèmes jamais écrits et un ciseleur anonyme avait sculpté dans du marbre de Naxos cette forme qui élevait la Femme à la plus haute majesté. Elle était la Femme, dont tout homme rêve. La Femme que tout homme craint.

Elle se tenait là, de l'autre côté des barreaux et du puits de boue fumante, éloignée de nous de quelques mètres à peine, éclairée par la lampe de Fletcher.

Pendant un moment, personne ne parla. Puis, Pedro s'approcha de la porte à barreaux, la saisit et tenta de l'ébranler de l'épaule. Elle grinça, mais ne céda pas.

Pedro grognait, jurait, haletait. Puis il tira son Colt, visa le cadenas et nous enjoignit :

— Restez où vous êtes.

Mais Fletcher Whimple lui saisit le bras.

— Si tu tires, le toit nous dégringole sur la tête.

Les visages étaient tendus, gris, trempés de sueur.

— Où est la clé de cette serrure? demanda Pedro.

— Peut-être le prêtre la possède-t-il, dit Helga.

— Ne te tracasse donc pas, Pedro, dit Whimple. Nous savons maintenant où est cette statue; elle ne s'envolera pas. Laissons-la donc ici. Il faut avertir ton père le plus vite possible.

Pedro donna encore quelques vains coups d'épaule contre la grille, puis se rangea à l'avis de Fletcher.

— Allons à l'hôtel. De là nous pourrons avoir Buenos Aires. (Il regarda Helga, puis moi et dit à Ricardo :)
— Toi, reste avec eux.

Et il s'en alla avec Fletcher Whimple.

Helga s'agrippait à mon bras. Ricardo ne quittait pas des yeux la statue. Il y avait un chandelier au mur, j'y fis couler un peu de cire et y plantai mon cierge. Je sortis mon mouchoir et essuyai mon visage dégoulinant de sueur. On se serait cru dans un bain turc, et le seul bruit était ce sourd grondement qui venait d'au-delà les puits de boue. Je compris tout à coup ce qu'était ce bruit : celui du vent qui se précipitait à travers les grands arbres du cimetière. Derrière la pièce à barreaux où se trouvait la statue, il y avait des fissures et des craquelures par lesquelles les buées de la boue chaude s'échappaient à l'air libre. Nous les avions aperçues de l'avion, en survolant le pays. La température extérieure ne dépassait certainement pas moins dix et, bien que cette caverne fût à ciel ouvert, il devait y régner une température de 27 ° au moins.

J'offris une cigarette à Ricardo, mais il la refusa :

— J'fume pas ça!

Pendant que j'allumais la mienne, je regardai de nouveau la statue. A la lumière du cierge, elle n'était plus qu'une pâle silhouette. Quelque chose m'avait fait la regarder, quelque chose que j'avais saisi du coin de l'œil, mais ce n'était sans doute qu'une vacillation de la flamme du cierge.

— Il faut que j'aille à l'hôtel, dit brusquement Helga.

Ricardo secoua la tête.

— Pedro a dit qu'on devait l'attendre ici.

— Ecoutez-moi, Ricardo, il faut que je parle à Thomas Malone. C'est très important qu'il entende ce que j'ai à lui dire avant qu'il ne vienne.

— Pas question, m'dame. Nous ne bougerons pas d'ici.

— Vous allez me conduire à l'hôtel. Malone doit connaître mes conditions, vous comprenez? S'il quitte Buenos Aires sans les connaître, il ne pourra pas les remplir et il en sera furieux. Ecoutez, Ricardo, cette statue m'appartient. J'ai les documents qui prouvent que j'en suis la propriétaire. Ils sont enfermés dans le coffre d'une banque, à Londres. Je suis disposée à conclure un accord avec Thomas Malone, entendez-vous, mais il doit absolument en connaître les conditions avant de venir ici. Est-ce que vous comprenez?

Ricardo avait l'air embarrassé. Je me demandais ce que diable Helga pouvait vouloir. Si elle désirait parler à Thomas Malone, pourquoi ne l'avait-elle pas dit à Pedro et à Fletcher?

— Jim, emmenez-moi...

— Non, répondit Ricardo.

— Bon! Mais pour l'amour du ciel, tu vas la conduire à l'hôtel. Ne te tracasse pas pour moi, je ne bougerai pas d'ici.

— Vous ferez aussi bien, répondit le garçon, terrorisé, parce que, si vous essayez de jouer au malin, vous verrez de quoi Pedro est capable.

— Je t'ai dit que je resterais ici et que je ne bougerais pas jusqu'à son retour, mais conduis Mme von Thallin à l'hôtel, Ricardo... et vite.

Je restai seul à tirer sur ma cigarette en regardant la statue. Cette fois, j'étais sûr et certain qu'elle venait de bouger, cela ne pouvait plus être une illusion d'optique. Il y avait aussi quelque chose d'étrange : je connaissais cette femme. Je la connaissais personnellement, intimement. Je connaissais la longue courbe ondulée de sa hanche, la gracieuse inclinaison de son cou, le poids sensuel de ses seins.

Et je restais planté là, abasourdi, stupide, les yeux arrondis, la bouche ouverte, à regarder à travers les barreaux tandis qu'une indescriptible horreur me paralysait. Etais-je en proie à une crise de folie, un homme rivé au sol qui sentait chavirer sa raison?

Une chaîne grinça. Les hanches splendides modifièrent leur équilibre, remirent d'aplomb le magnifique corps nu, s'étirant enfin après des millénaires d'immobilité. Vénus plia les épaules, ramena devant elle ses bras aux poignets entravés et, à travers la buée, me fit face. Ses blanches lèvres de pierre esquissèrent un sourire.

CHAPITRE X

Subitement, au fond de la caverne aux puits de boue, une lumière brilla et, de l'extrémité d'un tas de lave, une autre silhouette émergea... une fille aux longs cheveux noirs, portant une lampe tempête. Pour essayer d'arrêter mon plongeon dans la folie, je me raccrochai à son image, car elle me semblait familière, une part de ce monde sûr et confortable d'où cette fantastique apparition, cette Galatée, cette statue prenant soudain vie, venait de m'arracher.

Je m'agrippai aux barreaux et m'exclamai :

— Juanita!

— Taisez-vous, me répondit la fille d'une voix contenue mais impérieuse.

Elle portait sur les bras un ballot de vêtements, déposa sur une pierre sa lampe tempête, et Vénus enchaînée se mit à rire nerveusement.

— Que diable se passe-t-il? criai-je en secouant les barreaux et en essayant frénétiquement de les desceller.

Vénus secoua les chaînes de ses poignets, et elles tombèrent sur le sol, à ses pieds. Ces pieds-là, je les connaissais et aussi ces longues jambes. Je les connaissais pour les avoir vus auparavant. Vénus enchaînée n'était autre que Rhona...

— Laissez-moi entrer, criai-je encore, comme elle prenait un soutien-gorge des bras de Juanita Malone.

— Je ne peux pas, je n'ai pas la clé, me répondit celle-ci. Et cessez de hurler, pour l'amour du ciel. Vous allez ameuter la ville.

J'essayai de me dominer et demandai :

— Mais comment êtes-vous entrées?

— Par le même chemin que nous emprunterons pour sortir, à travers les cheminées de buée, là derrière, répondit Juanita en désignant de la tête le fond de la caverne.

— Vous ai-je fait peur, chéri? J'en suis désolée, me dit Rhona en enfilant un slip.

Juanita redisparut derrière le rocher qui l'avait masquée au début et revint portant un bidon qui avait contenu de la peinture à l'eau blanche. La chaîne, la peinture, un peu d'argile et mon rasoir personnel étaient tout le matériel dont elles avaient eu besoin pour transformer Rhona en Hélène de Troie. La chaîne, je l'appris plus tard, venait du coffre à outils d'un tracteur de l'estancia, le badigeon à la chaux et la terre à modeler se trouvaient dans l'atelier abandonné de Léon Turkel. La terre glaise avait servi à modifier la courbe du nez et à aplatir les mèches rebelles de Rhona, à dissimuler les mamelons de ses seins et à recouvrir quelques autres aspects de son anatomie que la statue de Vénus ne présentait pas. Mon rasoir avait permis de supprimer tout le système pileux, tête exceptée. Elles avaient plâtré les cheveux, puis les avaient simplement recouverts de peinture tout comme le reste du corps.

A présent, Rhona s'habillait à la hâte, enfilant ses vêtements sur la couche de peinture. Son visage empesé de blanc, sans cils ni sourcils, était celui d'un fantôme.

— Il faut que nous ayons regagné l'estancia et débarrassé Rhona de tout ça avant votre retour à tous, dit Juanita.

— Comment y parviendrez-vous?

— Nous avons pris les chevaux. Ils attendent derrière l'église tout près d'ici. (De nouveau elle indiqua de la tête le fond de la grotte.) Grâce à eux nous couperons à travers champs et forêts. Cela abrège le parcours de dix kilomètres au moins. Donc, nous devrions arriver largement avant vous.

— Mais, Juanita, demandai-je à travers les barreaux, pourquoi avez-vous contribué à la déception que va avoir votre père?

Elle serra les lèvres, puis murmura :

— A cause de ce qu'il a fait à Helga. (Elle me jeta un regard rapide et il y avait de la haine dans ses yeux quand elle ajouta :) Et à ma mère.

— Qu'a-t-il donc fait à votre mère?

— Il l'a tuée, affirma Juanita en tendant à Rhona un épais chandail à col roulé.

« Lorsque ma mère a parlé au prêtre de cette statue enterrée au cimetière et que mon père a su ce que le prêtre en avait fait, il est devenu fou furieux. Il a roué ma mère de coups. Il l'a battue si violemment qu'elle en est morte. Le père Francisco m'a appris cela hier au soir. C'est pour ça que, revenue à l'estancia, j'ai emmené Rhona à la cuisine. Elle m'a parlé de Helga, m'a dit pourquoi elles étaient ici toutes les deux. Plus tard, dans la chambre à coucher, j'ai vu le corps de Helga... ses yeux. Mon père est un chien enragé, une brute. Je veux vous aider à cause de ce qu'il a fait (elle regarda Rhona) à nos mères à toutes les deux.

Tandis que Juanita regardait Rhona, il me vint tout à coup à l'esprit qu'elles étaient peut-être du même sang : des demi-sœurs.

J'avais réussi à allumer une autre cigarette et je dis :

— Bon, tout ça c'est très joli, mais qu'est-ce que je vais dire à Pedro quand il reviendra et s'apercevra que la statue a disparu?

— Helga dit qu'il faut lui raconter que le prêtre aidé de quelques fidèles a enlevé la statue. Elle se chargera du reste.

— Mais il sera fou de rage, soulignai-je.

Rhona me regarda de ses yeux épilés.

— Vous n'avez pourtant pas peur de Pedro, chéri?

— Si. Il a un colt, figurez-vous...

Elle était à présent complètement vêtue. Elle fit le tour du puits et s'approcha de moi : seuls les barreaux nous séparaient. Elle passa les bras au travers et me prit par le cou.

Je me penchai en avant, passai mon visage entre les barreaux et elle m'embrassa. Je sentis le goût de ses lèvres blanchies à la chaux et elle me dit :

— Helga se chargera de lui.

Elle suivit Juanita qui portait le bidon de peinture où elle avait mis la chaîne et tenait de l'autre main la lampe tempête. Je les vis escalader un tas de lave et disparaître par une cheminée dans le toit, que je ne pouvais voir de l'endroit où j'étais.

Comme je m'y attendais, lorsque Pedro s'aperçut de la disparition de la « statue », il entra dans une rage folle. J'étais près de la porte à barreaux quand ils arrivèrent et dis simplement :

— Le prêtre l'a prise.

— Où l'a-t-il mise? hurla-t-il, tirant son 44 et en appuyant le canon sur mon ventre.

— Otez ce pistolet, dis-je.

— Oui, enlevez votre pistolet, dit Helga avec calme mais avec une note de menace, ou je vous jure bien que vous ne reverrez jamais plus cette statue.

Lentement, il se tourna vers elle et dit d'une voix rauque de colère :

— Je vous tuerai... Je vous tuerai tous et le prêtre avec vous, mais je retrouverai cette statue.

— Vous ne la retrouverez jamais, si vous touchez à un seul de nos cheveux, lui assura Helga. Cette statue est notre garantie. Vous avez entendu ce que j'ai dit à votre père au téléphone. La statue sera à l'estancia le matin où lui et ses compagnons y arriveront. Je lui en ai donné ma parole et il en sera ainsi, à moins que l'un de nous ne soit brutalisé. Si vous nous faites le moindre mal, à nous ou au père Francisco, il ne vous restera qu'à expliquer à votre père pourquoi je n'ai pas tenu parole.

Il y eut un moment de silence. Pedro, les yeux exorbités, regarda Fletcher Whimple comme pour lui demander conseil. Je suais, le canon du revolver toujours sur le ventre. Le vieux Fletcher avait l'air soupçonneux en diable, mais il se rendait compte que Helga les tenait.

— Rengaine ton feu, Pedro, dit-il.

Les deux filles devaient avoir chevauché ventre à terre, car lorsque nous arrivâmes à l'estancia, elles étaient assises dans le living-room et buvaient du café.

Rhona avait débarrassé son corps de la peinture qui le recouvrait et ses cheveux étaient dissimulés sous un foulard drapé en turban. Elle avait dessiné ses sourcils et mis de faux cils. Elle donnait l'impression d'avoir pris une douche rapide après un après-midi passé à cheval et d'être sur le point de se coucher.

Pedro, arrivé lui aussi avant nous, était affalé dans un fauteuil, à l'autre bout de la pièce, à côté de la deuxième cheminée, la bouteille de bourbon à portée de la main, bien entendu.

De l'hôtel *Lago*, Helga avait conversé par radio avec Thomas Malone et Otto von Zarnow, à Buenos Aires. Elle savait maintenant que Malone et Fellender ne faisaient qu'un et que l'homme se trouvait chez Otto, à San Isidro, où étaient également Malcolm Rider, Eliot Eliphantis et la Vénus enchaînée exécutée par Léon Turkel. Il avait fallu à Fletcher et à Pedro un certain temps et beaucoup d'insistance pour convaincre Malone que l'original de la statue existait toujours et qu'ils l'avaient vue de leurs yeux. Puis, Helga avait parlé à Otto. Elle était disposée à accepter l'offre qu'on lui faisait, à condition qu'ils vendent l'original, non pas la copie, et que les négociations se déroulent à l'estancia, à Catacomba.

Otto et le vieux Malone n'avaient guère le choix et force leur fut d'accepter les conditions de Helga. Il y avait un certain risque à vendre à Rider la copie. S'ils parvenaient à ce que le faux soit universellement reconnu pour l'original, il faudrait se débarrasser de celui-ci. Et nous faire disparaître, également, Helga, Rhona, moi et, probablement, Juanita et le père Francisco. C'était beaucoup plus simple de vendre la véritable statue puisqu'on l'avait miraculeusement retrouvée.

Je me demandais comment Eliphantis allait expliquer à Rider qu'on se trouvait maintenant en présence de deux Vénus enchaînées. Tout dépendait des engagements pris par Eliphantis... S'il avait assuré à Rider que le faux était l'original, il devait être très gêné. Comment allait-il s'en tirer sans perdre la confiance que Rider avait en lui et, par conséquent, rompre toute transaction. Mais, s'il n'avait pas formulé d'opinion catégorique ce ne serait pas trop difficile pour lui et il était probable qu'il était trop avisé pour avoir formulé un jugement rapide à Buenos Aires.

Donc Otto, Malone père, Rider et son gros associé étaient en route pour l'estancia... L'heure de vérité sonnerait demain matin.

Ils n'eurent à résoudre aucune des difficultés qui s'étaient présentées à Helga pour atteindre Catacomba. Ils se posèrent dans la baie des Anges, sur un Canadair bimoteur de la marine de guerre argentine, un gros coucou aussi solide que le rocher de Gibraltar et dont l'équipage avait l'habitude de survoler les Andes. Comment ils avaient obtenu cet engin, je n'en sais rien, mais un Malcolm Rider a dans tous les ports du monde de puissantes relations qu'il peut faire intervenir et c'était sans nul doute le cas à Buenos Aires également. Otto von Zarnow devait avoir, lui aussi, quelques gros bonnets dans sa manche. Pour le cas où les événements ne se dérouleraient pas conformément à son plan, Otto avait emmené son pilote personnel, Frederic Rao, ce qui lui permettrait de repartir en vitesse à bord du Pilate, s'il le fallait. Rao n'avait pas dû émettre les objections qui lui avaient fait refuser d'emmener Helga et Rhona, parce qu'il était beaucoup moins hasardeux de prendre son envol du lac que de s'y poser. Quoi qu'il en fût, Rao et l'équipage du Canadair descendirent à l'hôtel *Lago*, Fletcher Whimple amena les autres à l'estancia dans la vieille Olds.

C'était encore une de ces foutues journées froides, humides, où le vent gémissait par-dessus les collines et à travers les arbres, derrière la maison. Pedro fut ivre de bonne heure ce matin-là.

Il était assis dans un coin de la pièce, les yeux sur sa bouteille, l'air d'un exécuteur attendant qu'on lui fasse signe. Chaque fois que l'un de nous faisait le moindre mouvement Pedro le suivait de l'œil.

La voiture revint vers deux heures et tous les vieux bonshommes en descendirent; Eugene Fellender, ce triste salaud qui se faisait appeler Thomas Malone, sortit le dernier. Il était petit, voûté, décomposé. Son expression était celle d'un homme qui vient d'entendre s'abattre sur lui une sentence de mort. Il évita Helga von Thallin comme si elle avait la lèpre.

Lorsque nous fûmes tous réunis dans le living, le vieux Malone lança :

— Eh bien! Allons-y...

— Otto d'abord, dit Helga.

— Que voulez-vous savoir, Helga?

— Vous m'avez dit que vous étiez en Norvège en 1945, quand ces hommes sont venus au château des Thallin...

— Non, j'étais en Suisse. J'ai rencontré le sergent

Fellender à Zurich. Il était en permission et nous nous sommes connus par hasard, dans un café. Je lui ai parlé de ce que vous possédiez au château, j'ai dit qu'il n'y avait que deux femmes pour veiller sur tous ces trésors et que s'il ne prenait pas la statue, un autre le ferait. Je m'arrangerais de façon à la sortir d'Europe pour lui. J'ai acheté quelques hommes de la Croix-Rouge et nous avons réussi à acheminer la statue à Lisbonne, enfermée dans un cercueil. J'ai également essayé de vendre la statue, mais vous savez que ça n'a pas réussi.

Il baissa les yeux et se détourna en secouant désespérément la tête.

— C'est stupide, incroyablement stupide d'avoir pendant vingt ans cru ce prêtre, d'avoir enduré ce que nous avons enduré...

— C'était stupide, Otto, jeta Helga, d'avoir enduré ce que j'ai enduré entre les mains des brutes que vous avez envoyées au château.

— Je ne pouvais pas prévoir cela, Helga, et de toute façon on ne peut rien y changer à présent. Vous me comprenez? Rien! Où est la statue maintenant?

— Est-ce vous qui avez envoyé Léon Turkel chez moi, à Londres?

— Où est la statue? répéta-t-il simplement.

Malcolm Rider était assis sur le canapé, à côté d'Eliphantis et il précisa.

— Mais la vraie, cette fois, s'il vous plaît.

— Mr Eliphantis? dit Helga.

Eliphantis parut se contracter, comme un homme assis sur le fauteuil du dentiste et qui attend que la fraise tourne dans sa bouche. Il essuya son front couvert de sueur et bredouilla :

— Oui... oui... oui...

— Dites-moi pourquoi un homme de votre réputation dans le monde des arts et dont les compétences sont indiscutées a trempé dans cette supercherie? Pour de l'argent?

— Que dit-elle? interrogea Rider en se tournant lentement vers Eliphantis.

Avec une agilité surprenante pour sa corpulence, Eliphantis quitta sa place et se dirigea vers le mur, à une distance de Rider qu'on pouvait appeler stratégique. Il continua d'essuyer nerveusement son visage; sa respiration était haletante.

— Je vous expliquerai, murmura-t-il à l'adresse de Rider.

— Faites-le immédiatement, enjoignit celui-ci.

— La première fois que j'ai entendu parler de cette statue — que je ne connaissais que d'après les citations classiques, c'était par la mention qu'en faisait le catalogue publié peu après la guerre des œuvres rares disparues ou détruites en Europe, la plupart du temps à la suite de bombardements...

« Vers 1948, je reçus une lettre du baron Otto von Zarnow, me demandant de le rencontrer à Nassau. J'acceptai et il me proposa de me charger pour lui de la vente de cette statue. Il voulait avoir mon avis.

— Et quel avis lui avez-vous donné? demanda calmement Helga.

Retirant son petit cigare d'entre les dents, Otto dit :

— Mr Eliphantis me conseilla de trouver une cachette sûre pour y abriter la statue et de ne plus y penser pendant cinq ans au moins. (Il regarda Thomas Malone.) C'est ce que nous avons fait... ou avions l'intention de faire. Puis, la défunte épouse de Mr Malone et le prêtre de Puerto Catacomba entrèrent en jeu. On me rapporta que la statue avait été jetée au milieu du lac Catacomba et qu'elle était irrémédiablement perdue.

— Quoi? hurla presque Rider.

— Alors, qu'avez-vous fait? insista Helga.

Le vieil Allemand haussa les épaules.

— Que pouvais-je faire? Cela paraissait terminé pour moi, je n'y pouvais rien. Le lac a plus de quatre cents mètres de profondeur. Il n'était pas question de le draguer. C'était regrettable, mais je devais accepter le fait. J'écrivis de nouveau à Mr Eliphantis et de nouveau nous nous sommes rencontrés à Nassau.

Eliphantis intervint, sanglotant presque.

— Je n'ai pleuré que deux fois dans ma vie : quand j'étais enfant et que ma mère, divorcée, s'est remariée... et à Nassau lorsque j'ai appris que cette Vénus enchaînée était perdue. Je n'ai pas dormi de la nuit, je n'ai cessé de pleurer et de penser à cette catastrophe... Cela paraissait si incroyable que ce merveilleux objet ait existé depuis trois mille ans sans que nous sachions qui le possédait et qu'au moment où nous allions pouvoir l'admirer il nous ait été ainsi arraché. C'était l'ultime stupidité, la plus prodigieuse de toutes les ironies et j'essayai, mais sans y parvenir, de me faire une raison. Je ne pouvais pas accepter le fait. La statue avait un jour existé, elle continuerait à exister (il essayait de nous convaincre à présent) vous comprenez... Vous voyez ce que je voulais?

— Vous avez donc décidé d'en faire faire un faux, énonça tranquillement Rider.

— Léon Turkel est un as, reprit Eliphantis. Un faussaire de génie. Une de ses statues se trouve au British Museum, à Londres, que tous les spécialistes attribuent à Praxitèle. Elle n'est pas de Praxitèle, elle est de Turkel. Pourquoi n'aurait-il pas fait de même pour la Vénus enchaînée? Pourquoi celle-ci aurait-elle été perdue à jamais? Une des plus belles œuvres créées par l'homme. Je ne pouvais supporter la pensée qu'elle était détruite. Elle devait continuer d'exister. Vous comprenez?

Il nous regardait les uns après les autres, quêtant un signe de compréhension. Il poursuivit.

— J'ai parlé de Turkel à Zarnow. Il m'a dit de le contacter et de voir quelle serait sa réaction. Turkel s'est emballé mais il a spécifié qu'il n'exécuterait la commande que si on lui garantissait que l'original était définitivement perdu.

« Mais comprenez-moi, je vous en prie (il s'interrompit pour éponger une fois de plus son visage et sa nuque de son mouchoir de soie), je ne cherchais pas à duper le monde... Je voulais garder à l'humanité une des plus belles pièces que nous pouvons avoir sur cette terre. Je ne pouvais pas supporter l'idée que ce trésor inestimable avait survécu trois mille ans et avait été perdu par la stupidité de l'homme avant même qu'il ait su qu'il le possédait. C'est pourquoi j'ai passé commande à Turkel. Essayez de comprendre, je vous en prie.

Rider s'était levé et faisait face au gros homme, une expression de dégoût sur le visage. Il dit, d'un ton sinistre :

— Eliot, ça suffit! N'ajoutez plus un mot et allez-vous-en.

Le gros homme se rebella.

— Pourquoi serait-elle perdue, Malcolm? Pour l'amour du ciel oubliez un instant les considérations financières et commerciales et pensez à ce qu'aurait signifié cette statue pour l'humanité. Et tout cela se retrouve dans l'œuvre de Turkel... Toute sa beauté, sa splendeur que les hommes verront et admireront éternellement... Mettez cela en balance avec les investissements relativement bas que vous avez faits... J'ai dû choisir au nom de l'art, Malcolm, et ma décision n'a pas été facile à prendre... Je ne m'étais jamais — je ne me suis jamais depuis — intéressé à un faux d'aucune sorte. Mais je ne voulais pas que la Vénus enchaînée fût perdue. La décision dépendait de moi, je l'ai prise.

— Et vous avez chargé Turkel de la mettre à exécution, dit Helga. Otto savait que l'original m'avait appartenu et il savait où je me trouvais puisque je correspondais avec son épouse. Alors, il a envoyé Turkel chez moi, à Londres.

— De toute façon, j'en ai plein le dos de cette course, dit Rider. Où est la statue, la vraie. L'avez-vous, Madame von Thallin?

— Non, je ne l'ai pas.

— Alors où est-elle?

— Là où le prêtre l'a immergée, au fond du lac Catacomba.

Pendant quelques minutes un silence de mort régna dans la pièce. Chacun dévisageait l'aveugle.

— Quoi? s'exclama quelqu'un.

Puis le vieux Malone explosa et apostropha Helga :

— Vous m'aviez donné votre parole!

Elle se tourna vers lui.

— Et vous, salaud que vous êtes, que m'avez-vous donné?

Fletcher Whimple demanda nerveusement :

— Mais alors, ce que nous avons vu hier, sous l'église?

— Ce que vous avez vu hier, c'était Rhona, recouverte d'un manteau de peinture blanche et les poignets entourés d'une chaîne. Rhona est ici. La peinture et la chaîne sont sur le support de selle devant l'écurie.

Elle ajouta d'une voix blanche :

— Tout ce que vous avez vu hier, sous l'église, se trouve ici. J'ai tenu parole.

Tous les regards étaient à présent posés sur Rhona Beckwith. Elle souriait calmement et réussit même à rougir légèrement.

Puis Pedro éclata. Il hurla et marcha vers Helga en mettant instinctivement la main sur son arme qui était pour lui la réponse à toutes les questions de l'univers :

— Putain que vous êtes!

— Tais-toi, Pedro, intervint le vieux Malone.

— Elle nous a trompés, papa. Cette salope...

— Sors! enjoignit le vieil homme d'une voix tonitruante. Quitte la maison!

Eliot Eliphantis était appuyé sur le manteau de pierre de la cheminée, hébété, hagard. Rider s'était rassis sur le canapé, les coudes sur les genoux, la tête pendant entre les épaules voûtées. Zarnow, debout, restait aussi impassible que la porte de Brandebourg, observant tout le monde et mâchonnant son cigare.

Lentement, Pedro se détourna et quitta la pièce en

faisant claquer la porte derrière lui. Un instant plus tard, Ricardo le suivit.

Le vieux Malone se tourna vers Helga, l'air épuisé.

— Je ne vous reproche rien, Helga. Je vous ai causé un mal irréparable. Je ne vous reproche rien du tout.

— Je n'en ai pas fini, reprit Helga, lugubre. Vous devez apprendre une chose encore.

Elle tenait à la main une feuille de papier jauni et la tendit à Rhona, plantée à côté d'elle, en lui disant :

— Donne cela à Otto.

— Qu'est-ce? demanda celui-ci comme la jeune fille lui remettait le papier.

— C'est écrit en français, Otto, répondit Helga. Je voudrais que vous le traduisiez et le lisiez à haute voix, afin que chacun comprenne.

Otto vissa davantage son monocle dans l'orbite, regarda le papier et dit, étonné :

— C'est une sorte de reçu.

— Lisez, Otto, lui enjoignit Helga.

— Il est daté du 14 mars 1893 et dit : « Reçu ce jour la somme de huit mille francs en paiement de la statue « Vénus enchaînée » commandée par Leopold von Thallin, de Coblence, royaume de Prusse, Allemagne »... C'est signé « Marcel Bizot, 75 *bis*, rue de Bourgogne, Paris. »

Otto releva la tête, n'y comprenant visiblement rien.

— Qu'est-ce que cela veut dire, Helga?

— Cela veut dire, Otto, qu'il n'y a jamais eu d'original de la Vénus enchaînée. Le grand-père de mon mari était jaloux de la réussite archéologique de son collègue Schliemann. Il inventa de toutes pièces cette histoire d'une statue retrouvée à Sounion et sortie secrètement de Grèce, avec l'intention de recueillir quelques miettes de la gloire de Schliemann. Il fit exécuter la statue par ce Bizot, de Paris, mais ne la présenta jamais au monde, pas plus qu'il ne raconta sa belle histoire. Il avait pris peur entre-temps et ne voulait pas passer pour un faussaire. Il préféra tout oublier.

Otto laissa échapper un long soupir.

Appuyé contre le manteau de la cheminée, Eliot Eliphantis sanglotait comme une femme.

— Vous pouvez garder ce papier, Otto, déclara Helga avec une ombre de sourire.

Idiot comme il était, Thomas Malone ne put s'empêcher d'intervenir et répéta :

— Je ne vous fais aucun reproche, Helga. Nous vous avons fait beaucoup de mal et vous nous le rendez. Je ne vous fais aucun reproche...

— Si c'était en mon pouvoir, sergent Fellender, je vous ferais beaucoup plus de mal que ça, assura Helga avec sincérité.

Puis, de l'arrière de la maison, s'éleva un vrombissement. Pedro mettait en marche sa moto. Le grondement augmenta comme l'engin approchait la maison, et nous entendîmes le garçon hurler :

— Sors, Dockery... Je te veux, salopard!

CHAPITRE XI

Le vieux Malone chercha à m'arrêter. Il me saisit par le bras et me dit :

— N'y allez pas, le gosse est fou!

Je le regardai un instant, puis me dégageai.

Pedro criait quelque chose à mon sujet, prétendant que je m'étais caché assez longtemps sous les jupes d'une femme aveugle.

Rhona courut derrière moi et m'arrêta à la porte d'entrée.

— Jim, Jim chéri. Tout est terminé à présent. Laissez tomber, je vous en prie, faites-le pour moi!

— Ce n'est pas terminé, lui répondis-je en ouvrant la porte.

Elle ne me lâchait pas le bras et essayait de me ramener dans la maison. Il y avait de la peur dans ses yeux, comme si elle savait que quelque chose d'atroce allait se passer. Mais tout ce que je pouvais voir, moi, c'était ce grand imbécile braillant sur le siège de sa moto, et tout ce que je savais, c'est qu'il m'en avait fait baver assez longtemps, et que ça n'allait plus durer. Je dégageai mon bras, écartai Rhona et abordai la véranda. La moto arrivait à travers la cour, et ses pneus faisaient craquer la mince couche de verglas qui recouvrait la boue. Le visage de Pedro apparaissait tordu par-dessus le guidon, mais ses cris étaient inintelligibles. Il passa devant la véranda et m'éclaboussa de boue, en hurlant dans le vent :

— Descends, fils de pute!

Tout le monde sortait de la maison et arrivait derrière moi sur la véranda. Rhona me suppliait :

— Rentrez, Jim! Vous ne devez pas faire ça, ni pour Helga ni pour moi.

— Je dois le faire pour moi! affirmai-je.

— Jim (Helga s'agrippait à mon autre bras), Jim, revenez! Pour moi, pour Rhona. Tout est terminé à présent.

Je lui répondis avec quelque véhémence :

— Non, Helga, ce n'est pas terminé. Vous avez commencé, vous m'avez entraîné et, pour moi, ce n'est pas terminé encore.

Je me dégageai des deux femmes et quittai l'abri de la véranda.

Pedro prenait un virage serré à l'extrémité de la cour, un pied sur le sol, pour garder l'équilibre. Sa machine grondait comme un taureau sauvage.

Le moment était favorable pour Pedro. J'étais planté dans la boue, sans savoir exactement ce que j'allais faire, comment j'allais m'y prendre, mais bien décidé d'une façon ou d'une autre à l'obliger à quitter sa machine. Lorsqu'il me vit dans la cour, il fonça droit sur moi, à la vitesse d'une charge de cavalerie, le visage baissé, la bouche crispée par les hurlements qu'il poussait. Je feintai à gauche, puis plongeai de tout mon long sur la droite, dans la boue dont il m'éclaboussa en passant. Il fit le tour du bûcher et revint droit sur moi. Je m'étais remis sur mes pieds et me dirigeais vers l'écurie. J'avais une idée à présent. La peinture et la chaîne étaient devant le bâtiment. Helga l'avait déclaré cinq minutes plus tôt. J'avais besoin de cette chaîne et je la voyais, posée sur le chevalet de selle à quinze mètres de moi.

Pedro arrivait, plus vite cette fois-ci, pour me prendre de plein fouet. Je parvins à éviter la collision qui m'aurait été fatale, mais en pivotant la roue arrière me heurta à la hanche. Je chancelai en avant, puis en arrière et tombai sur le dos. Je restai un moment étendu cherchant à reprendre mon souffle et essayant de débarrasser mes yeux de la boue qui y avait pénétré. Je réussis à me mettre à quatre pattes puis sur mes pieds, mais je me sentais désorienté et en quête d'un appui. Pedro fonçait de nouveau sur moi. Je glissai en arrière et essayai de me jeter sur le côté. Je sentis une roue me passer sur le bras gauche, puis le repose-pied me heurta à la tête et passa sur moi. Une seconde je crus ma dernière heure arrivée.

Je n'avais pas perdu connaissance et je les voyais tous s'agiter sur la véranda, je les entendais pousser des cris. Seul le vieil Otto se tenait à l'écart, très calme. Puis je ne vis plus qu'à travers un voile rouge : du sang coulait de mon crâne. Le salopard revenait à toute vitesse, riant et vociférant comme un insensé. Mon bras gauche était engourdi, mais pas cassé, il avait dû s'enfoncer dans la boue quand la roue de la moto était passée sur lui. Je me relevai en trébuchant.

Comme Pedro revenait sur moi, je me glissai sur le côté, jouant le tout pour le tout. Pedro me manqua et repartit pour un nouveau circuit.

J'étais arrivé sous le chevalet et relevai la tête.

Je vis la chaîne pendre entre les barres. Je m'accrochai à celles-ci et réussis à me mettre debout, clignant des yeux pour voir. Je tenais l'extrémité de la chaîne dans ma main droite quand Pedro revint sur moi.

Je sautai sur le chevalet, soulevai la chaîne, la fis tournoyer au-dessus de ma tête comme un rotor d'hélicoptère puis la lançai à la manière d'un fouet.

Elle atteignit la tête de Pedro et le frappa en plein visage. Je tirai la chaîne en arrière, il tomba de sa selle, la moto se renversa, roues et moteur continuant de tourner et faisant jaillir des gerbes de boue... Pendant que Pedro était encore allongé, je descendis de mon perchoir et enfonçai ma botte dans les côtes du garçon. Plié en deux, il se roulait dans la boue pour m'éviter. Je le déséquilibrai d'un coup de pied et le gratifiai d'un autre coup dans le bas des reins. Cette fois-ci, tout le monde l'entendit hurler, car le moteur de la Harley s'était tu.

Pedro tenait à présent le colt de la main droite, mais il était en triste condition et ne savait pas exactement où viser. J'arrivai par-derrière et, d'un nouveau coup de pied, fis sauter de sa main le revolver, qui tomba dans la boue quelques mètres plus loin. Je crois que Pedro ne s'en aperçut même pas. Il était sur les genoux, courbé sur lui-même, les coudes collés au corps comme pour calmer sa douleur. Il y avait une grande blessure rouge sur son visage, là où la chaîne l'avait frappé, et sa bouche gonflait à vue d'œil.

A côté de moi, le vieux Malone suppliait :

— Laissez-le! Laissez-le!

Ricardo était là lui aussi, se demandant s'il devait intervenir. Mais il était prudent et gardait ses distances.

D'ailleurs, Pedro s'était remis sur pied et, plié en deux, tête baissée, chargeait comme un taureau pour m'éventrer... Je le laissai s'approcher, esquivai au dernier moment et d'un coup de poing sur les reins, je le fis s'étaler sur le ventre. Il se releva aussitôt, grognant de haine comme un sanglier blessé.

Je ne pouvais pas prolonger la lutte. Je respirais difficilement, j'avais un voile devant les yeux et, cette fois-ci, quand Pedro fonça de nouveau, il me déséquilibra.

Mon dos heurta la paroi en tôle ondulée du bûcher et je retombai en avant de tout mon poids sur lui qui s'en trouva jeté à terre où il ne bougea plus. Juste à ce moment, je vis Ricardo, de l'autre côté de la cour, se pencher et ramasser le colt. Il le dirigea contre moi, le tenant des deux mains, à bout de bras et il cria :

— Te relève pas, Pedro!

Thomas Malone hurla en se précipitant sur Ricardo. J'attrapai Pedro par son blouson de cuir noir et le remis sur ses pieds au moment précis où Ricardo tirait. La balle atteignit Pedro dans le dos et jeta son corps contre le mien. Les yeux lui sortaient de la tête et, un long moment, nous restâmes ainsi, pétrifiés et silencieux, Ricardo planté stupidement dans la même attitude, ne se rendant pas compte de ce qu'il avait fait. Je lâchai Pedro et il tomba. Son sang recouvrait mon chandail. Je m'éloignai le long du chemin pavé du bûcher. Le vieux Malone était pétrifié de saisissement. Les autres descendaient en courant de la véranda.

— Ricardo! criait Fletcher Whimple.

Le garçon, revenu de sa stupeur, courait maladroitement à travers la cour et s'agenouillait à côté du corps de Pedro. Il sanglotait et gémissait :

— Pedro!... Pedro!...

Il retourna le corps et regarda le visage, espérant que les yeux allaient se rallumer. Mais ces yeux restaient grands ouverts et révulsés.

Ricardo n'avait cependant pas lâché le revolver. J'étais devant le bûcher et avais la main sur le tronc à fendre le bois où était posée la petite hache. Je m'en saisis instinctivement.

— Cardo, jette ce revolver, fiston. Jette-le! cria Fletcher.

Mais le garçon me regardait. Il n'entendait rien, ne voyait rien d'autre que moi.

— Lâche ça, Ricardo, lui dis-je en lui montrant la hache que j'étais prêt à lancer contre lui.

Mais il continuait de lever son revolver, son pouce armait le chien, et je vis tourner le barillet. En hâte, je jetai la hache sur Ricardo.

Je n'avais certes pas d'intention meurtrière, je ne pensais même pas que cela pût le tuer, car je n'étais pas expert au maniement de cette arme. Mais lorsque votre vie est en jeu, vous pouvez faire preuve d'une habileté qu'il vous faudrait des années pour acquérir dans des circonstances normales. La hache s'enfonça entre le cou et l'épaule, comme elle l'aurait fait dans une branche, et je pense que Ricardo était mort avant même de s'effondrer sur le cadavre de Pedro.

Quelque part un homme pleurait.

Je me dirigeai vers les deux corps et retirai le colt des mains de Ricardo puis je me redressai et fis face à tous les autres.

J'étais soudain enragé, je bouillonnais de colère

contre ces vieux imbéciles, Helga et ces hommes, dont l'envie, la haine et l'incroyable bestialité nous avaient mis dans cette situation, ces gamins, Rhona et moi-même. Ils ne pourraient jamais se racheter mais ils devaient comprendre ce qu'ils avaient fait. Je pensais par-dessus tout à Rhona. Jusqu'à ce que cette histoire de fous soit terminée, elle ne pourrait briser les liens qui l'attachaient à Helga. Et rien n'était accompli. Helga n'avait toujours pas exécuté ce qu'elle était venu faire ici.

Je me détournai et levai le revolver sur le premier d'entre eux qui se présentait.

Thomas Malone trébuchait comme un ivrogne vers le corps de son fils. Il ne se préoccupait guère du colt dirigé sur lui, peut-être même ne le voyait-il pas. Je me portai à sa rencontre et l'arrêtai en le saisissant à la gorge.

— Mettez-vous à genoux! lui ordonnai-je.

Il essaya de me repousser. Je resserrai mon étreinte et il comprit qu'il ne se débarrasserait pas de moi d'un geste. Il posa sur moi des yeux où se lisaient la peur, la souffrance et l'incompréhension. Lentement, il s'agenouilla dans la boue. Derrière lui, à quelque distance, Fletcher Whimple se tenait immobile, le regard hébété.

— Vous aussi, lui dis-je en désignant du revolver l'endroit où je voulais qu'il s'agenouille, à côté de l'autre.

Il s'avança, comme ivre et frappé d'horreur, au bord du vomissement et, sans mot dire, s'agenouilla devant moi.

Je regardai vers la maison. Rhona et Juanita se tenaient près de la moto renversée à quelques mètres de moi. Rider, Otto et Helga étaient encore sur la véranda.

— Zarnow! venez ici, criai-je.

Il ne broncha pas, restant calmement où il était, continuant de mâchonner son cigare. Je levai le revolver à bout de bras et hurlai :

— Descendez, sinon je vous abats là où vous êtes.

Il réfléchit un instant, regarda Helga d'un côté puis Rider de l'autre et, haussant les épaules, il s'approcha du perron.

— Amenez Helga, criai-je.

Il s'arrêta et, avec courtoisie, prit le bras de Helga, l'aida à descendre les marches emplies de boue comme si elles étaient un escalier menant à une salle de bal. Il la fit traverser la cour, puis se tint à côté de Fletcher Whimple agenouillé. Une larme s'échappait de dessous le monocle et coulait le long de la balafre. Le vent soulevait légèrement ses cheveux blanc de neige, il retira son cigare d'entre ses dents et dit, avec calme :

— Je suppose, Mr Dockery, qu'une exécution va avoir lieu et que Helga sera l'exécuteur.

.— C'est bien à quoi je vais l'aider, c'est bien pour cela que nous sommes venus ici, dis-je.

On voyait que Helga avait peine à avaler sa salive.

— Alors, reprit Otto, qui paraissait envisager la mort sans crainte, la coutume veut qu'un condamné ait le droit d'exprimer quelques mots et je me réclame de ce privilège.

Subitement, Fletcher Whimple s'effondra. Il s'assit sur ses talons, et s'enfouit le visage dans les mains. Il sanglotait et d'une voix à peine intelligible, suppliait qu'on l'épargnât. Sans m'occuper de lui, je dis à Otto :

— Allez-y!

Il s'adressa à Helga.

— Vous avez devant vous, Helga, trois des hommes responsables de ce qui vous a été fait et de ce qui vous a été pris au château de Thallin en 1945. Nous sommes, à ma connaissance, les trois seuls survivants. Nous sommes aussi de très vieux hommes qui arrivons au terme de notre existence et ce qui était notre raison de vivre nous a été ôté. Pedro Malone et le petit Whimple sont morts. Franz n'était pas mon fils, il était mon neveu, mais le seul enfant que j'aie jamais élevé. Donc, Helga, mourir ne signifierait pas grand-chose, ni pour moi ni pour ces deux autres hommes, et le fait de mettre fin à nos existences serait bien pire pour vous que cela ne le serait pour nous. Ce serait vous mettre au niveau des infâmes qui vous ont brutalisée.

Helga, les mâchoires serrées, restait silencieuse.

— Vous avez terminé? demandai-je à Otto.

— Oui.

— Alors, agenouillez-vous.

Il s'agenouilla gauchement, jeta son cigare. Le vieux militaire se tenait droit, les bras collés au corps.

Rhona arrivait en courant et me criait :

— Non!

Peut-être aurais-je dû l'écouter. Dans cet ultime essai pour amener Helga à renoncer à sa vengeance, peut-être Rhona s'était-elle libérée, avait-elle rompu la chaîne d'infamie qui les liait. Mais j'en doutais. Seule, Helga pouvait mettre fin à cette situation, seule, elle pouvait nous permettre de couper les amarres et briser cette chaîne.

J'attrapai la main droite de Helga et lui mis la crosse du colt dans la paume. Ses doigts raidis et bleuis par le froid se serrèrent autour de l'arme et son index se posa sur la détente. Je guidai sa main incertaine sur le front de Thomas Malone.

— Helga! Otto a raison, hurla Rhona.

Elle me saisit par-derrière, essayant d'atteindre la main de Helga. Je me détournai et d'un revers de main sur la bouche la fis basculer.

Elle était allongée dans la boue, appuyée sur un coude et secouant la tête.

— Il faut que tout cela finisse avant que vous puissiez faire autre chose de votre vie, rappelez-vous. Vous me l'avez dit et maintenant cela doit finir.

Je serrai le poignet de Helga et tins l'arme contre le front du vieux Malone.

— Le revolver est entre les yeux du sergent Fellender, Helga. Appuyez doucement sur la détente, c'est tout.

Puis je reculai d'un pas.

Je ne pensais pas vraiment qu'elle tirerait. A l'instant de tuer de sang-froid un vieil homme, je pensais qu'elle renoncerait et que tout serait fini. Mais je connaissais mal Helga. Helga n'était pas normale et, pour venir ici, elle avait déjà tué délibérément deux autres hommes. Je la vis serrer les mâchoires et me rendis compte avec horreur qu'elle allait tuer encore. Je vis son index appuyer sur la détente et j'eus l'impression de recevoir un coup en plein visage : « Mon Dieu! Elle va le faire! »

Je me précipitai pour l'en empêcher, et Fellender —

Thomas Malone — agit dans un dernier réflexe de conservation. Ecartant le revolver du geste, il se leva et se mit à courir avec une incroyable rapidité pour un homme de son âge. Il glissait et trébuchait dans la boue, haletant, mû par la terreur. Helga se tourna, guidée par les pas et les cris, tandis que Rhona se précipitait sur elle en hurlant :

— Non!

Helga tira, une seule fois, avant que je ne l'atteigne.

La balle frappa Rhona en pleine poitrine, et elle s'affaissa comme une poupée de chiffon, sans même pousser un cri.

— L'ai-je atteint? demanda Helga.

Je lui arrachai le revolver des mains, puis m'agenouillai à côté de Rhona. Elle avait la bouche ouverte comme pour crier, les yeux agrandis de surprise, ainsi avait-elle rencontré la mort.

CHAPITRE XII

Je me réveillai dans mon lit, ne me souvenant de rien, sinon que je m'étais agenouillé dans la boue, à côté du corps de Rhona.

La seule lumière était dispensée par la lampe à pétrole posée sur la commode; elle dessinait de grandes ombres sur les murs. Dehors le vent grondait; une persienne battait. Quelqu'un, enroulé dans une couverture, était assis dans le fauteuil à côté du lit.

— Rhona... dis-je.

Elle me regarda et je vis que ce n'était pas Rhona, mais Juanita Malone.

— Où est Rhona?

— Rhona est morte. Et aussi Pedro et Ricardo.

— Quelle heure est-il?

Elle jeta un coup d'œil à sa montre :

— Deux heures du matin.

— Que s'est-il passé?

— Vous avez perdu connaissance. Rider et le gros homme, Eliot, vous ont porté jusqu'ici et m'ont aidée à vous déshabiller. Comment va votre tête?

— Elle me fait mal.

Je me rendis compte seulement alors que j'avais la tête bandée et que je ne voyais que d'un œil.

L'autre était fermé, et toute la partie gauche de mon visage tuméfiée.

— Y a-t-il une cigarette ici?

Juanita en alluma une et me la mit entre les lèvres.

— Vous aimiez Rhona, n'est-ce pas?

J'eus tout à coup la gorge nouée et envie de pleurer comme un bébé. Je m'efforçai de tirer sur ma cigarette et d'envoyer des ronds de fumée en direction du plafond... Lorsque je sentis que je pouvais parler de nouveau sans paraître une femmelette, je demandai :

— Où est-elle?

— Là, avec Helga, répondit Juanita en montrant du geste la pièce contiguë.

— Et les autres?

— Dans le living. Je suis venue ici parce que je ne voulais pas rester avec eux et que je ne voulais pas non plus être seule... Voudriez-vous manger un peu?

— Oui, dis-je en m'asseyant, et je gémis brusquement tant ma hanche et ma cuisse gauches étaient douloureuses.

— Du mouton? Du mouton et des pommes de terre?

— Oui, Juanita, volontiers.

Elle se leva.

— Je vais vous en apporter.

— Non. Tous ces mois d'hôpital après le Viêt-nam m'ont enlevé à jamais l'envie de manger au lit. Je vais vous rejoindre à la cuisine.

— Très bien.

Elle s'en alla et referma la porte derrière elle.

Péniblement, je sortis du lit, enfilai des jeans et un chandail et quittai la pièce. Au moment où je passais en traînant la jambe devant la porte de Helga et de Rhona, j'y frappai, mais n'obtins pas de réponse. J'ouvris. La chambre était dans l'obscurité.

— Helga?

— Oui.

— Puis-je entrer?

— Oui. Entrez.

La pièce était semblable à la mienne. Je frottai une allumette et l'approchai de la mèche de la lampe à pétrole sur la commode. Helga, entièrement habillée, était assise dans un fauteuil, à côté d'un des lits. Sur ce lit, Rhona était allongée, recouverte jusqu'au menton d'une couverture. Son visage était d'un blanc verdâtre, ses lèvres et ses yeux clos. Son abondante chevelure auburn avait l'air d'une perruque sur la tête d'un mannequin.

— Je n'ai jamais vu Rhona, vous savez, me dit Helga. J'étais aveugle quand elle est née.

Je me taisais, regrettant de ne pas avoir de cigarette sur moi.

— Etait-elle très jolie, Jim?

— Oui, très...

— A présent au moins, elle est libre.

— Oui, Helga!...

Je restai là un moment, puis, n'y tenant plus, je me dirigeai en boitant vers la porte.

— Jim, me rappela Helga.

— Oui?

— Ce n'est pas cette balle qui l'a tuée, cet après-midi.

— Vraiment? demandai-je stupidement.

— Je l'ai détruite il y a des années... par ma haine.

Je regardais le plancher. Je désirais m'en aller. Ce

que disait Helga, ce qu'elle faisait, pensait et ressentait ne signifiait plus rien pour moi.

— Je vous en prie Jim, ne vous laissez pas démolir vous aussi par cette histoire.

Elle me tournait le dos, assise dans sa nuit et sa solitude. Un instant, la colère monta en moi, et j'eus envie de lui faire du mal, envie de lui rappeler qu'il était un peu tard pour commencer à s'inquiéter des résultats de sa haine. Et alors je compris qu'on ne pouvait plus lui faire de mal. Elle n'était plus sensible à rien. Qu'allait-elle devenir? De tous les gens malades et pitoyables qu'elle avait décidé de faire disparaître, elle restait la plus malade, la plus pitoyable.

— Cela ne me démolira pas, Helga, dis-je avec calme.

— Merci, de toute façon... Merci, Jim, d'avoir tenté de m'aider.

Je sortis, fermai la porte et me traînai jusqu'à la cuisine où Juanita me préparait un repas sur l'immense fourneau. Mais je n'en avais plus envie.

— Juanita...

Elle avait les traits tirés, les yeux cernés.

— Je n'ai plus faim.

Ma hanche me faisait atrocement souffrir, et je croyais que ma tête allait éclater.

Elle quitta le fourneau et s'approcha de moi.

— Voulez-vous autre chose? Un verre?

— Oui, un verre.

Puis je remarquai à travers l'entrée et la salle à manger que la lumière brillait dans le living.

— Que font-ils là?

— Rien...

Je m'y rendis en m'appuyant contre les murs, les

dossiers des sièges, les rebords des tables. Rider, Eliphantis, Otto, Thomas Malone et Fletcher Whimple étaient assis autour de la cheminée. La pièce empestait le tabac refroidi et était obscurcie par la fumée.

— Comment vous sentez-vous? me demanda Rider.

— Crevé...

Je trouvai un fauteuil, et Juanita m'apporta un verre, trois doigts de whisky pur.

— Nous avons discuté la situation, reprit Rider, et nous pensons que le plus sage serait de renoncer aux formalités. D'éviter l'enquête officielle. Quel est votre avis?

J'avalai une gorgée de bourbon et fis mine de réfléchir. Mais je savais fort bien ce que j'en pensais et je dis :

— Tout ce que je veux, c'est m'en aller d'ici, quitter cet enfer.

— Je pense exactement comme vous, déclara Rider. Mr Whimple et Mr Malone sont d'accord pour que nous enterrions en toute simplicité les deux garçons et — si Frau von Thallin le veut bien — Rhona Beckwith. Nous y procéderions demain matin, dans la propriété, ensuite nous reprendrions chacun notre route.

Je regardai Otto.

— Acceptera-t-elle cela?

— Je ne vois pas pourquoi elle s'y refuserait. Elle n'a pas plus de raison que nous de désirer voir la police mêlée à cette affaire.

— Après les funérailles, Zarnow retournera à Buenos Aires dans son avion et avec son pilote. Il emmènera Mme von Thallin avec lui et lui offrira l'hospitalité. A elle de décider si elle accepte ou pas. Eliot et moi, repartirons par l'hydravion et, à mon avis, vous devriez revenir avec nous, Jim.

Je réfléchis un instant. Cette solution paraissait la plus simple.

— Très bien, je vous accompagnerai.

— Vous êtes disposé à continuer à travailler pour moi?

— Vous voulez dire que vous me réservez un emploi?

— Bien sûr. D'ailleurs, pour la compagnie, vous êtes toujours foreur à Fyzabad.

— Vous ne trouvez pas compromettant qu'un de vos subalternes sache que vous êtes un meurtrier?

Une expression de mépris passa sur le visage de Rider. Il se pencha en avant, me dévisagea et articula très bas :

— Que voulez-vous dire?

— Ce que je veux dire? C'est que quand je vous ai quitté à l'hôtel, à Buenos Aires, vous m'avez fait suivre et que, si Franz von Zarnow n'avait pas écopé du coup qui m'était destiné, mon corps serait éparpillé dans la pampa, à l'heure qu'il est.

— Jim, je vais vous dire quelque chose, une seule fois, et vous la croirez parce qu'elle est vraie, me dit-il, les yeux impassibles.

» Ce Carvolth nous a raconté que son job consistait à brouiller la piste pour nous débarrasser et débarrasser Thomas Malone de Helga von Thallin. Je vous jure que j'ignorais qu'il voulait s'en prendre à vous.

Peut-être Rider disait-il la vérité. De toute façon, c'était plus simple de le croire que de discuter. Finalement, je décrétai :

— Entendu, je reprendrai mon poste.

— Vous me croyez?

Je hochai la tête, et cela me fit un mal de chien.

— Je vais regagner mon lit, dis-je.

Le matin, ils creusèrent trois fosses dans le bois, derrière la maison et y descendirent les corps raidis et enveloppés de draps blancs. Le vent grondait à travers les hauts arbres et nous transperçait de lances de glace. Nous gardâmes un moment le silence au bord des tombes; les deux domestiques de l'estancia qui avaient été choisis pour aider à l'opération se tenaient à quelque distance appuyés sur leur pelle.

Helga s'appuyait de la main sur le bras d'Otto et quand je regardai, je fus épouvanté de voir combien la nuit de veille auprès du corps de Rhona l'avait abattue. Elle n'était plus qu'une vieille petite dame, toute grise, la tête penchée, écrasée par un sort tragique. A côté de moi, Juanita et Thomas Malone se tenaient au pied de la tombe de Pedro et, un peu plus loin, Fletcher Whimple et la vieille Estelle se penchaient une dernière fois sur Ricardo. Rider et Eliphantis étaient derrière eux, à une courte distance, la tête nue sous le vent glacé.

Plus tard, je regardai à travers la fenêtre du living, Juanita amener l'Oldsmobile et l'arrêter devant le perron. Elle en sortit, ouvrit le coffre, tandis que Rider la rejoignait à travers la véranda, portant ses valises. Il les entassa dans le coffre et Juanita gravit les marches et entra dans la maison. Je l'entendis faire claquer la porte d'entrée, puis elle arriva dans le living.

De la véranda, Rider criait :

— Tout le monde est prêt? On y va!

Juanita me dévisagea en silence, puis elle me dit :

— Adios, Jim.

Elle était comme une fleur épanouie au milieu d'une haie d'épines. Je pensais que si elle n'avait pas été là, la veille, je serais mort moi aussi. Par sa seule présence, elle m'avait aidé plus que je ne pourrais le dire. Je pris sa main petite, glacée et la serrai.

— L'oublierez-vous un jour? me demanda-t-elle.

— Je l'espère, répondis-je en hochant la tête.

— Je le voudrais bien, dit-elle au bout d'un instant.

— Bon sang, vous vous décidez, hurla Rider de l'extérieur. Dockery, qu'est-ce que vous fichez?

— Adios, Juanita, dis-je et prenant ma canne, je gagnai la porte en boitillant.

IMPRIMÉ EN FRANCE PAR BRODARD ET TAUPIN
6, place d'Alleray - Paris.
Usine de La Flèche, le 20-12-1973.
1638-5 - N° d'Editeur 3341, 4e trimestre 1973.